Entspannt wohnen mit den richtigen Farben

ALICE BUCKLEY

Entspannt wohnen mit den richtigen FARBEN

Harmonische Farbwelten für ein schönes Zuhause

ISBN: 978-3-572-03018-2

Titel der englischen Originalausgabe: The Home Colours Sourcebook: Neutrals

Projektleitung: Dr. Iris Hahner
Umschlaggestaltung: Atelier Versen, Bad Aibling
Übersetzung (für no:vum): Ulrich Magin, Leinfelden-Echterdingen
Redaktion: no:vum, Susanne Noll, Leinfelden-Echterdingen
Satz (für no:vum): Rund ums Buch – Rudi Kern, Kirchheim/Teck

Druck und Bindung: Midas Printing Limited, Tsuen Wan

Printed in China

817 2635 4453 6271

Inhalt

DAS VERZEICHNIS DER FARBPALETTEN

Über dieses Buch

In diesem Buch finden Sie 200 neutrale Farbkonzepte, die nicht nur Innenarchitekten inspirieren können, sondern alle, die ihr Zuhause neu einrichten möchten. Mit wichtigen Informationen über die Farben und die Stimmung, die sie hervorrufen, hilft es Ihnen, ein Farbkonzept auszuwählen und so einen perfekten Raum zu schaffen – sei es ein entspannendes Wohnzimmer, ein sexy Schlafzimmer oder eine helle Küche.

Das Buch beginnt mit einer Einführung in die neutralen Farben – wie wir sie wahrnehmen, wie sie im Laufe der Geschichte eingesetzt wurden, ihren Einfluss auf uns und wie sie heute angewendet werden. Danach werden die Grundlagen der Farblehre erklärt, damit Sie eine sichere Grundlage haben, auf der Sie aufbauen können.

Obwohl es sicher sinnvoll ist, die Grundsätze der Farblehre zu verstehen, ist letztlich Ihr Verhältnis zu den Farben und zu der Stimmung, die sie bewirken, von Bedeutung, wenn Sie ein Farbkonzept für Innenräume entwickeln. Auf den folgenden Seiten gehe ich auf die Stimmungen ein, die unterschiedliche Farbgruppen hervorrufen, und darauf, wie und wo Sie sich Inspiration holen können. Dann erkläre ich, welche Faktoren unsere Farbwahl beeinflussen und aus welchem Grund.

Neutralfarben stellen die einfachste Farbgruppe. Sie sind extrem vielseitig und können geschichtet, gemischt und einander angepasst werden. Im letzten Kapitel, dem Verzeichnis der Farbpaletten, finden Sie eine riesige Bandbreite an Neutralfarben mit Ideen, wie Sie diese in Ihrem Zuhause einsetzen können. So schaffen Sie das perfekte neutrale Interieur.

Wie man die Farbpaletten benutzt

1. Die Farbpunkte links oben zeigen das jeweilige Kapitel an.

2. Kurze Einführungen lassen das Gefühl erahnen, das das Konzept hervorruft.

3. Inspirationen für die Wahl des Farbkonzepts.

4. Die Theorie hinter dem jeweiligen Stil. Hier finden Sie Ideen und Anregungen zu Materialien, Bodenbelägen, Möbeln, Mustern und Accessoires.

5. Die Hauptfarbe des Zimmers, vornehmlich der Wände. Manchmal liegt das Hauptaugenmerk auch auf Möbeln oder dem Boden.

Gehen Sie mit diesem Buch in Ihren Baumarkt und bitten Sie dort darum, Ihre Farbe zum Testen zu mischen. Streichen Sie ein Quadrat auf die entsprechende Wand und lassen Sie die Farbe trocknen. Farbe verändert sich beim Trocknen.

Lassen Sie die Farbe am besten ein paar Tage auf sich wirken, bevor Sie die ganze Wand streichen.

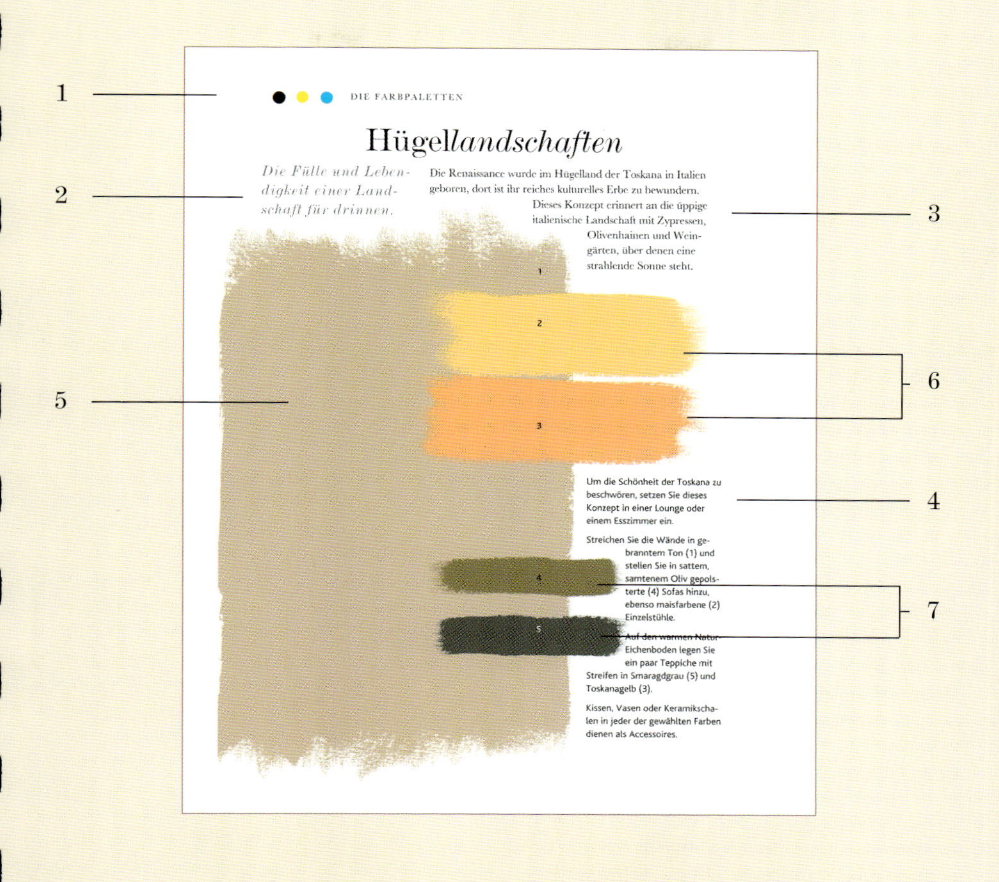

DIE FARBPALETTEN

Hügel*landschaften*

Die Fülle und Lebendigkeit einer Landschaft für drinnen.

Die Renaissance wurde im Hügelland der Toskana in Italien geboren, dort ist ihr reiches kulturelles Erbe zu bewundern. Dieses Konzept erinnert an die üppige italienische Landschaft mit Zypressen, Olivenhainen und Weingärten, über denen eine strahlende Sonne steht.

1

2

3

Um die Schönheit der Toskana zu beschwören, setzen Sie dieses Konzept in einer Lounge oder einem Esszimmer ein.

Streichen Sie die Wände in gebranntem Ton (1) und stellen Sie in sattem, samtenem Oliv gepolsterte (4) Sofas hinzu, ebenso maisfarbene (2) Einzelstühle.

4

5

Auf den warmen Natur-Eichenboden legen Sie ein paar Teppiche mit Streifen in Smaragdgrau (5) und Toskanagelb (3).

Kissen, Vasen oder Keramikschalen in jeder der gewählten Farben dienen als Accessoires.

6. Für eine angrenzende Wand, Holzgegenstände oder passende Polsterstoffe wird die Akzentfarbe eingesetzt. Die Farben können dunklere oder hellere Töne der Hauptfarbe sein, Töne, die den Raum ausgleichen, oder auch Komplimentärfarben, die einen Kontrast in dem von Ihnen gewählten Interieur erzeugen.

7. Jedes Konzept enthält zusätzlich zwei Akzentfarben. Das kann ein schriller Farbspritzer, etwa eine rote Vase in einem sehr neutralen, hellblauen Innenraum, oder der letzte ausgleichende Farbton in einem harmonischen Farbspektrum sein, etwa ein reiches Schokoladenbraun in einem Zimmer mit cremigen Toffeefarben.

Auch wenn sie nur in kleinen Dosen verwendet werden, sind diese Highlight-Farben oft die wichtigsten Farbtöne, weil sie das Design vervollständigen.

Einführung

Das Wort Zuhause setzt viele Assoziationen frei. Man denkt an Wärme und Schutz, an die Familie und Freunde, an einen inspirierenden Platz, einen Rückzugsort und an Frieden. Dieser Ort drückt so viel Wichtiges aus, dass wir bei unserem Zuhause oft sehr leidenschaftlich sind und alles dafür tun, es noch gemütlicher zu machen.

Heute bedeutet ein Zuhause weit mehr als Schutz und Unterkunft. Wir richten es zwar so ein, dass es diese Notwendigkeiten erfüllt, aber auch so, dass es unsere Persönlichkeit widerspiegelt, unsere Hoffnungen, unser Innerstes. Man kann das auf vielerlei Arten tun. Licht und Farbe, die beiden Faktoren, die uns auch in der Natur umgeben, können unseren Lebensraum grundlegend beeinflussen und verändern. Mit diesen beiden Zauberstäben steuern wir die Energie eines Raumes, seine Stimmung und seine Wohnlichkeit. Wenn wir sie richtig einsetzen, können Licht und Farbe ein Zuhause schaffen, das die emotionalen und funktionalen Bedürfnisse stillt, um uns wirklich zu Hause zu fühlen.

Neutrale Farben verstehen

Von den zahlreichen, uns zur Verfügung stehenden Farbpaletten sind die Neutralfarben wohl die am wenigsten verstandenen. Häufig werden sie als langweilig oder ausdrucksslos bezeichnet, nur tauglich für Hotels oder für zum Verkauf stehende Häuser. Aber Neutralfarben sind weitaus mehr als Farben, die sich nicht auf dem Farbkreis finden wie Weiß, Schwarz, Braun und Hellbraun. Die modernsten Neutralfarben sind kultivierte Andeutungen auf sanfte Farben, und diese Subtilität macht sie so aufregend, vielseitig und effektiv.

In den letzten Jahren sind ständig neue Neutralfarben erschienen.

Weil wir uns alle ein freundlich-wohliges Zuhause wünschen, erzeugt das Vermischen gedeckter und stimmungsvoller Farbtöne neue, frische Konzepte für unser Heim. Dunkle Töne wie Kaki, Oliv und Stahlgrau bilden mit den helleren, rosa Beigetönen wie Taupe und Nerz die moderne neutrale Palette. Durch seine große Bandbreite an Farbideen will Ihnen dieses Buch helfen, für Ihr Innendesign das Beste aus den Neutralfarben herauszuholen und genau die Stimmung zu schaffen, die Sie in jedem Raum Ihres Zuhauses haben möchten.

TEXTUR EINSETZEN

Dieses sorgfältig gestaltete neutrale Interieur ist voller Textur und reflektierender Flächen und schafft einen kultivierten Raum. Die Textur des Bodenbelags und des Teppichs erfreut das Auge und den Tastsinn, die Keramiken, der transparente Tisch und der runde Spiegel reflektieren und maximieren das natürliche Licht.

Neutrale Farben – eine Geschichte

Vergessen Sie Ihre Vorurteile. Neutral ist kein Euphemismus für langweilig. Die zahlreichen Farbnuancen und Farbtöne, die zu dieser Kategorie gehören, laden zu Schichtung, Kontrastierung und Textur ein. Mit oder ohne Akzentfarbe können Neutralfarben ebenso aufregend wie jedes andere Konzept aus dem Farbkreis sein, sie bringen aber Frieden und Gelassenheit in unsere Räume und in unser zunehmend stressigeres Leben.

ART-NOUVEAU-ORNAMENTE

Die natürlichen, fließenden Linien werden hier durch die leuchtende Einfachheit der reichen Cremefarbe und den Akzent des roten Edelsteins vervollständigt. Eine komplexere Farbpalette würde das Konzept unübersichtlich machen.

Neutralfarben zu wählen heißt nicht notwenig Zeitgenössisches zu wählen. Viele der unterschiedlichen Deko-Stile, die im 20. Jahrhundert entwickelt wurden, sehen mit Neutralfarben sensationell aus. Gegen Ende des viktorianischen Zeitalters, im Art nouveau, dessen sinnliche, wogende Linien in matten Naturtönen gehalten waren, lebte der Architekt und Designer Charles Rennie Mackintosh – und dessen ganz in Weiß oder Schwarz-Weiß gehaltene Innenräume sehen heute noch topaktuell aus.
Der glamouröse und aufregende Modernismus der 1920er Jahre war eine einzige Explosion innovativer Designs – denken Sie nur an die Möbel aus Chrom und schwarzem Leder, die eingebettet waren in sensationelle Konzepte aus Silber, Schwarz und Weiß, mit Tierfellen als Accessoiress.

Stil wandelt sich

Der elegante Art déco mit seinen stilisierten Bildern und geometrischen Formen erlebte seinen Höhepunkt in den 1920er und 1930er Jahren. Er nutzte dieselben neutralen Konzepte wie der Modernismus, führte aber auch das elegante Elfenbein und Auster mit Perlmutt ein, geschliffene Einlegearbeiten, schwarzen Lack, rostfreien Stahl und verblüffende, schwarz-weiße Schachbrett-Linoleumböden. Glänzende Stoffe brachten Textur und Luxus in die Konzepte, die monochrom und dennoch hypnotisch waren. In Skandinavien tauchte in

Klassische Architektur

Verblüffende architektonische Details mit neutralem Stein, Marmor und Eisen müssen kaum ausgeschmückt werden; die Stimmung des Raumes wird durch verschiedene Dekorstile bei den Pflanzen bestimmt.

AKZENTE SETZEN

Unterschätzen Sie niemals die Bedeutung der Akzentfarben. Zum Teil stammt die Schönheit eines neutralen Konzepts wie diesem aus dem Hervorblitzen der kontrastierenden oder kräftigen Farben, die Spaß in einen sonst nach nützlichen Gesichtspunkten eingerichteten Raum bringen.

den 1930ern ein kühler, reduziert funktioneller Stil auf, der helles Holz, Naturmaterialien, funktionelle Möbel und neutrale Farbtöne von Ecru bis Hellweiß mit Farbakzenten betonte. Viele der in dieser Bewegung tätigen, wichtigen Designer, darunter Arne Jacobsen und Alvar Aalto, sind heute noch populär. Und natürlich vermarktet Ikea seine eigene, unverwechselbare Variante dieses Stils auf seine Weise. Die Nachkriegsjahre der 1950er sind die Ära von Kitsch und knallbuntem Plastik, dennoch waren die eiscremefarbenen Pastelltöne, Chrommöbel und anderen Klassiker des Designerpaars Charles und Ray Eames die perfekten Accessoires für neutrale Konzepte, ebenso die schwarz-weiße Op-Art der blumenseligen, farbverrückten 1960er.

Neutralfarben heute

Neutralfarben passen zu fast jedem Innendesign-Konzept, doch das ist nicht der Grund für ihre gegenwärtige Beliebtheit. Denn die Mode unterliegt einem Kreislauf, und es war unumgänglich, dass die in den 1980ern und frühen 1990ern so populären knalligen Farben nun weniger auffallenden Interieurs wichen. Heute bringen die neutralen Farben Stille und Frieden in unser Leben. Licht und Raum, die sich beide durch Neutralfarben verstärken und maximieren lassen, sind für unser Wohlbefinden lebensnotwendig. Ihre Bedeutung in unseren hektischen Zeiten sollte nicht unterschätzt werden.

KONTRAST SCHAFFEN

Die Glaslampe mit dem feinen, lila-grauen Schirm bringt überraschende Feminität in das Forstgrün dieses sehr männlichen Schlafzimmers. Die Textur der Kissen und Bettdecken macht das neutrale Konzept interessanter.

Farblehre

Eine Welt ohne Farbe ist unvorstellbar. Von der Großartigkeit einer Landschaft über das bunte Federkleid eines Vogels zum Wunder des Regenbogens, einer atemberaubenden Blume oder dem Essen auf unserem Teller: Farbe bereichert unser Leben. Wenn Sie die Grundsätze der Farblehre kennen, schaffen Sie mit Ihrem neutralen Konzept einen sensationellen Innenraum.

Herings Farbkreis

Basierend auf Isaac Newtons Farbspektrum, den sieben Farben des Regenbogens, und Thomas Youngs Entdeckung der Primärfarben, aus denen Licht besteht (Rot, Grün und Blau), entwickelte Ewald Hering seine eigene Version des Farbkreises mit Gelb als vierter Primärfarbe. Er meinte, Gelb müsse eine Primärfarbe sein, weil es vom Auge zusammen mit Rot, Grün und Blau als unabhängige Farbe wahrgenommen werde. Er betrachtete auch Weiß und Schwarz als grundlegende Primärfarben. Hering beschrieb diese Farbanordnung als „natürliches System der Farbempfindung". Heute basiert darauf das Natürliche Farb-System (NCS), das allgemein Anwendung findet.

HERINGS FARBKREIS

Der Kreis mit vier Primärfarben wurde 1878 von dem deutschen Arzt Ewald Hering entwickelt. Der Innenkreis mit braunen, neutralen Farben wurde hinzugefügt und jedem der vier Quadranten zugeordnet. Die Brauntöne sind das Ergebnis der unterschiedlichen Mischung der vier Primärfarben.

WEISS HINZUFÜGEN

Mit Herings Farbkreis als Grundlage zeigt dieses Schema, dass durch das Hinzufügen von Weiß die daraus folgenden blasseren Farben ein Spektrum an fein aufgehellten Weißtönen formen.

SCHWARZ HINZUFÜGEN

Hinzufügen von Schwarz ergibt ein Spektrum an dunkleren Neutraltönen. Bei beiden Farbkreisen gelten die gleichen Regeln für harmonische und komplementäre Farben.

Harmonische Farben

Werden die vier reinen Primärfarben Rot, Blau, Grün und Gelb mit ihren Nachbarn auf dem Farbkreis gemischt, ergeben sie die Sekundärfarben Purpur, Türkis, Orange und Limone. Wenn Sie den Farbkreis betrachten, merken Sie sofort, dass sich die nebeneinanderliegenden Farben harmonisch verhalten. Die gleiche Regel gilt bei Neutralfarben – das weiche Buttermilchgelb funktioniert immer mit Orange gebrannt.

Komplementärfarben

So nennt man die sich auf dem Farbkreis gegenüberliegenden Farben, die einander beißen. In einem Konzept bewusst eingesetzt, fallen sie auf. Eine Mischung aus zwei gegenüberliegenden Komplementärfarben ergibt ein neutrales Grau – man erkennt das an dem Schatten, den eine Farbe auf ihre Komplementärfarbe wirft. Sie können dieses Prinzip in Ihrer Einrichtung nutzen. Wenn Sie mit zwei Komplementärfarben streichen, mischen Sie beide und schaffen so eine dritte neutrale Farbe. Sie wird definitiv zu den Ausgangsfarben passen.

Tonale Farben

Die Wahl nur einer Farbe, die dann in verschiedenen Tönen eingesetzt wird, nennt man tonales oder monochromatisches Konzept. Bei Neutralfarben klappt das sehr gut. Muster und Textur bringen Leben in tonale Konzepte, allerdings ist die Verwendung eines einzigen Farbtons kein Konzept, sondern der sichere Tod Ihres Innendesigns.

Neutralfarben

Eine neutrale Farbe ist nichtssagend. Sie ist nur schwer (wenn man das überhaupt will) durch das Mischen von Farben und Pigmenten zu erzielen. Selbst ein neutrales Grau nimmt als Wandfarbe die Farben um sich herum auf. Neutralfarben bestehen aus einer Mischung von zwei bis vier Primärfarben, die unterschiedliche Grau- und Brauntöne bilden. Durch Hinzufügen von Schwarz oder Weiß erhält man aufgehellte und abgedunkelte Töne.

KOMPLEMENTÄRKONZEPTE

Dieses gewagte Konzept mit Komplementärfarben funktioniert gut, weil der Hintergrund in Neutralfarben gehalten ist.
Die Handtücher beleben die grünen Badezimmerkacheln unten; sie sind Farbaccessoires, die je nach gewünschter Stimmung ausgetauscht werden. Hätte man eine harmonische Farbe mit Grün gewählt, etwa Türkis, wäre die Raumwirkung eine völlig andere.

Farbe und Stimmung

Unser Zuhause ist zwar Schutz- und Rückzugsraum für uns, dennoch erfüllt jedes Zimmer eine eigene Funktion. Das Deko-Konzept, das für jeden Raum gewählt wird, sollte diese Funktionen verstärken und die perfekte Stimmung und Atmosphäre schaffen. Farben und Licht (sowohl künstlich als auch natürlich) können das gewünschte Ambiente erzeugen: Ein Windfang sollte einladend sein, ein Schlafzimmer privat und ruhig, das Esszimmer hingegen könnte z. B. eine abendliche Kultiviertheit ausstrahlen.

Unterschiedliche Farbgruppen erzeugen unterschiedliche Stimmungen und Emotionen. Neutrale Farben können aber ebenso gut eine Stimmung erschaffen, besonders wenn Textur und Akzentfarben eingesetzt werden. Beispielsweise passt Sonnenblumengelb perfekt zu einem Windfang, Butterbeige erzeugt in einem neutralen Konzept die gleiche einladende Wirkung. Rötliche Neutralfarben schaffen ein atemberaubendes Ambiente im Wohnzimmer. Die stimmungsbildenden Eigenschaften von Farben sind auch bei einem überlegten Umgang mit Neutralfarben möglich.

Stimmung und Funktion

Lächeln Sie, erschaudern Sie oder seufzen Sie zufrieden? Es ist eine Tatsache, dass bestimmte Farbgruppen besondere Stimmungen hervorrufen und daher gern in bestimmten Räumen eingesetzt werden. Die Farbmenge oder der Farbton können unterschiedliche Wirkungen erzielen und das Prinzip ist auch in einem neutralen Konzept gültig, in dem der Farbton gedämpft ist oder die Farbe nur als Akzent eingesetzt wird.

EIN HARMONISCHES KONZEPT

Fröhlich und ruhig wirken die harmonischen Grün-, Gelb- und Cremetöne in dieser Küche zusammen und ergeben ein einfaches und attraktives Konzept.

Rosatöne: Feminin, lustig und fröhlich. Gern für Mädchenzimmer genommen, passen sie auch ausgezeichnet für Aufenthaltsräume. Als Neutralfarben eignen sich Bonbon-Rosatöne oder helle Apfelblüte.
Rottöne: Leidenschaftlich, frivol, warm und tröstend. Rot ist die Farbe des Lebens, ideal für Empfangs- und Esszimmer. Als Neutralfarbe dunkel und satt, mit den dunkelsten Tönen von Reife Pflaume oder Burgunder.
Orange: Stimulierend, lustig und warm. Orange ist ein Widerspruch und hängt sowohl vom Farbton als auch von seinem Gebrauch ab. Mit Gelbtönen hellwach, mit weichem Ocker oder Blautönen mediterran. Bei Neutralfarben passen Orange gebrannt und matte Töne.
Gelbtöne: Fröhlich, sonnig und saftig. Gelb heißt Willkommen, eignet sich nicht für Schlafzimmer. Neutrale, abgedunkelte Töne sind Butterbeige und Limonencreme.
Grüntöne: Natürlich, einfach und friedvoll. Die Lieblingsfarbe der Natur passt überall hin. In einem neutralen Konzept benutzen Sie Dunkelsalbei oder Olivgrün oder ein graues Basilikumgrün.
Blautöne: Kühl, ruhig, klar und entspannend. Die Farbe des Himmels und des Wassers braucht viel Licht, um optimal zu wirken. Hellblau im Badezimmer und Schlafzimmer, dunklere, grauere Töne im Esszimmer.
Violett: Hübsch, kräftig und königlich. Sorgfältig einsetzen. Die hellere Variante passt häufig, dunkles, sattes Violett geht nur in sexy Schlafzimmern.
Brauntöne: Voll, warm und erden. Denken Sie nur an die italienischen Pigmente Siena, Umbra, Ocker oder Terrakotta. Mit den Grau- und rostigen Eisenfarben von Schieferziegeln kombinieren.
Grautöne: In seiner reinsten Form ist Grau der ultimativen Neutralfarbe am nächsten. Es enthält keine Farbe, eignet sich so als Folie für andere, hellere Farben. Wählen Sie aus einem Spektrum von neutralem, hellem Taubengrau bis zu sattem, dunklem Kohlegrau, oder einem Grau mit einer Ahnung von Farbe, etwa samtenem Mausgrau oder kühlem Smokey-Mountain-Grau.

HELLE TÖNE UND LICHT KOMBINIEREN

Die starken Rot- und Rosatöne dieses Konzepts werden durch das Weiß etwas gemildert, das Ergebnis ist ein ausgeglichener Raum.

Lassen Sie sich inspirieren

Die Welt um uns ist voll Inspiration für neutrale Konzepte. Ob Sie sich in der Stadt, am Meer oder in der Natur aufhalten, bei welcher Jahreszeit und bei welchem Wetter, ob vor Naturwundern oder menschlichen Bauwerken – nehmen Sie sich einen Augenblick Zeit, um das zu betrachten, was Sie sehen. Studieren Sie die zarten Farben von Baumrinde, von Birken bis zu Limonenbäumen, die stimmungsvollen Grau- und Rosatöne der Sturmwolken, Austernschalen mit einem Keil aus heller Limone, eine Skyline, die sich in einem Fluss spiegelt, und die unzähligen Farbnuanceen in einem Steinhaufen oder einer Handvoll Kiesel.

Betrachten Sie diese Farben einmal vom Standpunkt eines der großen Meister. Wie wurden sie von Künstlern im Lauf der Zeit benutzt und interpretiert, etwa von Vermeer, Picasso, Miró oder Nash? Warum wirkt ein Schaufenster, ein Zierteller oder eine Anzeige anziehend auf Sie, während eine andere Sie kalt lässt? Sie müssen kein Künstler sein, um die Palette zu finden, die Ihnen gefällt und die genau die Stimmung erzeugt, die Sie zu Hause haben wollen.

Alben einsetzen

Man kann nicht früh genug mit dem Ideensammeln anfangen, die Sie in ein Album kleben: Verpackungen, Zeitschriftenseiten mit Mode oder Innenräumen, Essen und Blumen, dazu Poster, Karten, Flyer, Postkarten, Geburtstagskarten, Urlaubsfotos, vielleicht sogar ein Foto der erstaunlichen Farbmischung im Fell Ihres Hundes oder eines Leoparden. Gefällt es Ihnen, kleben Sie es ein. Standfotos aus Ihrer Lieblingsserie oder Ihrem Lieblingsfilm bieten fruchtbare Anregungen. Gut recherchierte Historienfilme sind sehr inspirierend, ebenso moderne Filme mit luxuriösen Locations von den besten Stylisten der Welt. Nehmen Sie sich die sizilianische Villa aus *Der Pate* zum Vorbild oder eine Küsten-

IDEEN GENERIEREN

Alles, was Ihnen gefällt, kann Ihnen Anregungen für das perfekte Konzept geben. Die Ideen hier zeigen satte, warme, erdige Neutralfarben, die durch Muster, etwas Glanz und vielleicht einen Hauch Akzentfarbe ausgewogen werden.

Warme Gelb- und Grüntöne – natürlich – welcher Film war das?
Familienferien in Tunesien, Juli 2006. Beeindruckende Bauten, lebhafte Farben.

landschaft aus *Message in a Bottle – Der Beginn einer großen Liebe*. Während sich Ihr Buch füllt, erkennen Sie, wie eine Idee Form annimmt. Wenn Sie die Welt neugierig betrachten, wird selbst die gewöhnlichste Reise zu einem Abenteuer.

Stimmungsbrett

Wenn Sie wissen, was Sie wollen, erstellen Sie ein Stimmungsbrett.

Auch Designer setzen es ein. Es stellt die Essenz der von Ihnen gewählten Farben, Texturen und Stoffe dar. Wenn Ihr Konzept Dinge mit einbezieht, die Sie nicht ändern wollen – etwa einen Teppichboden oder einen Kamin –, nehmen Sie diese auf das Brett auf. Bei Ihrer Konzeptionierung bauen Sie das Brett um diese Hauptfarbe herum auf. Oder Sie beginnen mit einem inspirativen Anfangspunkt, etwa einem Lieblingsteppich oder einem Bild, und wählen die Farben zu diesem Stück aus. Fügen Sie Farb- und Stoffproben hinzu: Beim Stimmungsbrett geht es nicht nur um Farben, sondern auch um Muster und Texturen.

Um das Bild so realistisch wie möglich zu halten, legen Sie Teppichproben bzw. das Laminat oder die Kachel unten auf den Karton, Möbelstoffproben in die Mitte, Vorhangproben an die Seite und Farbproben an die passenden Stellen. Soll die Akzentfarbe eine ganze Wand bedecken, muss sie auf dem Stimmungsbrett im Vordergrund stehen. Falls es sich nur um zwei Kissen handelt, wird die Fläche proportional kleiner. Alles, was die Harmonie des Konzepts stört, wird entfernt, auch wenn es Ihnen gut gefällt – Sie können es noch in einem anderen Zimmer einsetzen.

SEKUNDÄRQUELLEN

Alle großen Künstler hatten ein Gefühl für Farbe. Klauen Sie ruhig Themen und Ideen zur Inspiration und setzen Sie sie in Ihren Konzepten ein. Diese reichen Gold- und Brauntöne werden durch helles Rosa, Rehbraun und Creme ausgeglichen. Sie schaffen ein warmes, ruhiges Konzept, das perfekt zu einem Aufenthaltsraum oder Schlafzimmer passt.

Kissen bei Mama!
Mein Lieblingsbild von Vermeer – satte Farben. Etwas für mein Haus?
Die Bäume am See im Herbst – das schöne Goldbraun. Für mein Arbeitszimmer?

Ein Farbkonzept wählen

Wenn Ihr neutrales Konzept Form annimmt, müssen mehrere wichtige Faktoren beachtet werden, bevor Sie zum Pinsel greifen und Stoffe bestellen. Stimmung, Funktion, Licht und Fluss spielen bei Ihren Entscheidungen alle eine Rolle, wenn Ihr Konzept gelingen soll.

PERFEKTE HARMONIE

Dunkle Holzmöbel gehen in einem dunklen Zimmer unter, doch die wunderbaren Schokoladentöne hier werden durch die cremefarbenen Wände belebt. Die hohen Fenster, mit hellen Stoffen und Elenden geschickt verhangen, fluten den Raum mit großartigem Naturlicht, das jede Farbnuance der Stoffe und der Möbelstücke betont.

Licht ist wichtig

Licht schenkt Leben, nicht nur der Welt allgemein, sondern auch Ihrem Konzept und der Stimmung, die es schafft. Wenn Sie es falsch einsetzen, wirken Ihre Innenräume stumpf und flach. Setzen Sie es richtig ein, erstrahlt Ihr Konzept in Ausgeglichenheit und Harmonie. Jeder Hausbesitzer wünscht sich natürliches Licht im Überfluss. Es ist einer der wichtigsten Faktoren für das Ge- oder Misslingen Ihrer Innengestaltung. Maximieren Sie daher das natürliche Licht mit hauchdünnen Stoffen, Glas, Spiegeln und das Licht reflektierenden Farben. Hierin unterscheiden sich Neutralfarben nicht von Primärfarben: Hellere Töne reflektieren Licht, dunklere schlucken es.

Natürliches Licht: Natürliches Licht bringt Neutralfarben am besten zur Geltung, aber jedes Konzept wird von der Tageszeit und der Lichtmenge je nach Jahreszeit beeinflusst. Wenn es möglich ist, sollten Sie tagsüber nach Süden hin ausgerichtete Räume bewohnen, damit Sie das Licht optimal nutzen können. Das Esszimmer kann nach Norden gehen, wenn Sie es hauptsächlich abends benutzen. Wärmende Farben, in denen Esszimmer gern eingerichtet werden, kompensieren ein wenig das kältere Licht eines nach Norden weisenden Zimmers.

Künstliche Lichtformen: Kunstlicht schmeichelt den Farben nicht, es muss deshalb behutsam eingesetzt werden. Es gibt drei Hauptarten von Beleuchtung: Funktion, Ambiente und Stimmung. Funktionslicht ist stark und direkt, etwa fürs Lesen, Kochen oder andere Arbeiten. Ambiente-Licht liefert allgemeine Beleuchtung – vermeiden Sie Lampenlicht direkt von oben. Die übliche Deckenlampe wirft ein hartes Licht und lässt Farben flach wirken. (Leuchter, die sensationelles, diffuses Licht werfen, sind die Ausnahme von dieser Regel.)

Stehlampen und Wandleuchten sind gnädiger und auch vielseitiger. Man kann mit Licht auch Stimmungen schaffen, die normalerweise intim und romantisch sind. Das passt zu Schlaf- und Esszimmern. Fluoreszierendes Licht ist schwierig. Wenn Sie es nicht unbedingt brauchen, verzichten Sie darauf, selbst in der Küche.

Jedes künstliche Licht verändert Farben. Um mit Ihrer Farbwahl sicher zu gehen, testen Sie diese mit einer Papier- oder Putzprobe (nicht auf die Wände streichen). Platzieren Sie sie an unterschiedlichen Stellen im Raum bei unterschiedlichem Licht, bevor Sie sich entscheiden.

Fluss

Um einen Fluss durch das Haus zu erzielen, können Sie eine Hauptfarbe wählen und diese in jedem Raum als Basis für individuelle Konzepte nehmen, etwa an den Wänden, aber auch auf dem Boden oder bei den Fußleisten.

MODERNES DESIGN

Moderne, offene Wohnungen, die oft überwiegend oder ganz weiße Innenräume haben (wie oben und unten gezeigt), werden großzügig mit Glas ausgestattet, um viel natürliches Licht hineinzulassen. Die doppelte Höhe des Wohnbereichs trägt zu der Lichtfülle und dem Raumgefühl bei.

Wenn Sie ein tonales Konzept wählen und mehrere Nuancen einer Hauptfarbe einsetzen, verwenden Sie den hellsten Ton für die Decke, den mittleren für die Wände und den dunkelsten für die untere Hälfte des Raums (bei einer Deckleiste) oder für den Boden. Wählen Sie auch sorgfältig die Farbsorte: Am einfachsten werden die verschiedenen Glanzgrade der Farbe Licht spiegeln und daher heller als matte wirken.

Textur und Muster

Textur ist ein weiterer wichtiger Faktor in einem neutralen Konzept. Sie setzt nicht nur visuelle und fühlbare Akzente, sondern erzeugt auch eine Gesamtstimmung im Raum. Ein Vorteil eines neutralen Konzepts besteht darin, dass Textur viel Freude bringt – von gewebten Naturfasern auf dem Boden und Webpelzdecken auf dem Sofa oder dem Bett bis zu Stapeln von Kissen mit Applikationen, aus plissierter Seide, Wolle oder mit Schmuckknöpfen.

ALT TRIFFT NEU

Das ruhige Salbeigrün der Leisten und Nuten wird durch Creme ausgeglichen. Das ergibt in diesem Badezimmer ein traditionelles, neutrales Konzept, die klassischen Armaturen setzen zeitgemäße Akzente.

KÜHLENDE FARBEN

Mit Anklängen an Neuengland und Skandinavien spiegelt diese Küche mit ihrer magischen Kombination aus Grau-, Blau- und Weißtönen das kühle Licht der Nordhalbkugel wieder. Die eindeutige Funktionalität des Raumes ist einladend und angenehm.

Textur fällt in einem neutralen Konzept stärker auf als in anderen, wählen Sie also nur Dinge, die Sie wirklich mögen.

Auch Muster entfalten in einem neutralen Konzept ihre ganze Pracht. Wenn Sie im Konzept für einen Raum nur ein Muster einsetzen, darf das ruhig groß sein. Vielleicht tapezieren Sie eine Wand mit einem auffallend kräftigen Muster, etwa in einer sofort ins Auge stechenden Farbe. Glänzende Materialien, wie Chrom, Stahl, schwarzer Lack oder Marmor, können aufregend sein und in der Ruhe eines neutralen Konzepts Akzente setzen.

Überlegungen zur Farbe

Ein einzelner neutraler Raum in einem Haus, das sonst farbig gestaltet ist, passt gut, solange die angrenzenden Zimmer, die bei offener Tür einsehbar sind, sich damit nicht beißen. Ein Esszimmer in Scharlach etwa passt sehr gut zu einem neutralen Wohnzimmer, sofern eine rötliche Neutralfarbe oder ein roter Akzent Teil des Konzepts ist, wenn auch nur als Detail. Gleichen sich die Böden in der gesamten Wohnung, vereint das die Räume ebenfalls. Die Farben in angrenzenden Zimmern sollten immer mit einbezogen werden.

Wenn Sie Ihr Haus einrichten, um es besser verkaufen zu können, halten Sie alles sehr einfach. Manchmal trägt ein besonderes Design zwar dazu bei, ein Haus schneller zu verkaufen, grundsätzlich aber verringert es eher die Zahl der potenziellen Käufer. Ein zurückhaltendes Konzept sagt eher zu, selbst wenn es nicht genau den Geschmack der Interessenten trifft.

Wenn Sie die Komponenten Ihres neutralen Konzepts auswählen, vergessen Sie den wichtigsten Faktor nicht – sich selbst. Wählen Sie Farbtöne, Farben und Stoffe, die Ihnen gefallen. Es gibt kein „richtiges“ Konzept. Wenn Sie sich an die Grundregeln halten, können Sie kombinieren, was Ihnen gefällt, und vermeiden, was Ihnen missfällt. Das Resultat wird ein schöner Innenraum sein, in dem Sie gern leben.

Inspiration von aussen

Diese äußerst geschickte Konstruktion aus vollen, neutralen Farbtönen und rauen, texturierten Materialien erinnert an die komplexe Farbskala des Waldes. Mehr als die weißen Überzüge braucht es nicht, um das Konzept hell, behaglich und einladend zu gestalten, obwohl die dunklen Töne vorherrschen.

Farbpaletten-Übersicht

DIESE EINFACH ZU BENUTZENDE ÜBERSICHT ZEIGT DIE HAUPTFARBE IN JEDER DER 200 PALETTEN. AUF EINEN BLICK FINDEN SIE DIE FARBE UND DIE BETREFFENDE SEITE. ENTDECKEN SIE DORT, WIE SIE SIE EFFEKTIV IN EINEM BESTIMMTEN ZIMMER EINSETZEN.

80–81	82–83	84–85
86–87	88–89	90–91
92–93	94–95	98–99
100–101	102–103	104–105
106–107	108–109	110–111
112–113	114–115	118–119
120–121	122–123	124–125
126–127	128–129	130–131
132–133	136–137	138–139

140–141	142–143	144–145
146–147	148–149	150–151
154–155	156–157	158–159
160–161	162–163	164–165
166–167	168–169	172–173
174–175	176–177	178–179
180–181	182–183	184–185
186–187	188–189	190–191
194–195	196–197	198–199

200–201	202–203	204–205
206–207	208–209	210–211
212–213	216–217	218–219
220–221	222–223	224–225
226–227	228–229	230–231
234–235	236–237	238–239
240–241	242–243	244–245
246–247	248–249	250–251
252–253		

Pariser Eleganz

Das Anfangskapitel verspricht Kultiviertheit und Glamour durch Farbe. Lange als königliche Farbe geltend, umfasst Mauve warme Lilatöne und zartes Lavendel. Denken Sie an den Glamour des Art déco, an Teezimmer mit weißem Porzellan und an Martinis in Kristallgläsern. Schmücken Sie Ihr Heim mit der dekadenten Textur von Samt und Seide und stellen Sie klassische Möbel auf.

Das *gefundene Paradies*

Satte Farben werden von neutralen Naturtönen ergänzt.

Dunkle Pflaume ist eine satte und gefühlvolle Farbe, die Tiefe und Stimmung in einen begrenzten oder dunklen Raum bringt. Warm, leidenschaftlich und intensiv, eignet sich die volle Farbe für eine außergewöhnliche Wand, besonders im Esszimmer oder im romantischen Schlafzimmer.

Wärmen und mildern Sie dunkle Pflaume (1) durch Steingrau (2) und einen zarten Cremeton (3). Holz und gestrichene Möbel oder Wandpaneele sehen in diesen warmen Tönen wunderbar aus.

Wie in der Natur kann Pflaume mit zarten Grüntönen ergänzt werden, etwa hellem Salbei- (4) und sanftem Minzgrün (5). Setzen Sie diese besonderen Farben als Akzent ein, mischen Sie Töne aus Grün und Stein bei Möbelstoffen, Teppichen oder einzelnen Möbelstücken – sie ergeben ein schönes und gemütliches, entspannendes Resultat.

Das *verlorene Paradies*

Dunkle Töne von Petrolblau und dunkler Pflaume ergeben ein wagemutiges Konzept. Bewusst eingesetzt, akzentuieren sie Accessiores – seien es Möbelstoffe, Keramik oder Kunstwerke – in einem dramatischen, sinnlichen Petrolblau und schaffen einen sehr eindrucksvollen Raum.

Ideal für eine gemütliche Lounge, einen Ruheraum oder ein Esszimmer.

Streichen Sie sämtliche Wände in dunkler Pflaume (1), Holz in Hellgrau (3) und erwägen Sie sogar, den Boden zu streichen oder einen hellgrauen Teppich zu legen, um einen Kontrast zur satten Pflaume zu bilden. Panthergrau (2) eignet sich für Sofas oder Kissen im Ruheraum oder für einen großen, zentralen Teppich im Esszimmer.

Mischen Sie Petrolblau (4) und Kohlegrau (5) bei Vorhängen und anderen Möbelstoffen. Diese Farbtöne eignen sich auch für glamouröse, opulente Stoffe wie Leder, Samt oder Seide.

Moulin *Rouge*

Eine dunkle und dekadente Gruppe von Mädchenfarben.

Diese Kombination erinnert an die Hoch-Zeit des Moulin Rouge, als Tänzerinnen in dunklen, amethystfarbenen Kleidern gemeinsam durch die Nacht zogen. Diese Palette fängt die im Dekor des Clubs zu Tage tretende Romantik des frühen 20. Jahrhunderts in Frankreich ein.

Amethyst (1) ist ein dunkler, königlicher Ton. An Schlafzimmerwänden sorgt er für Sinnlichkeit, kombiniert mit Vorhängen in dunklem Purpur (5). Wählen Sie hübsches Rosa, wie Rouge (2) und Bonbon (3), für Bettwäsche und Accessoires.

Für Eleganz im Raum streichen Sie Möbel und Holz pilzfarben (4), das mit Mattlack am besten aussieht. Dieser Ton eignet sich auch für eine Akzentwand, falls Amethyst alleine zu übermächtig ist.

Zum Schluss bringen Sie dunkles Purpur mit einem Akzentstück in das Zimmer zurück, etwa mit einem Bettüberwurf oder einem einzelnen Polsterstuhl.

Puder*zimmer*

Diese spielerische Farbkollektion ist vom Spaß und Glamour der 1950er inspiriert. Die Akzente passen gut zum dunklen Amethyst und ergänzen erfolgreich das saftige Pflaume und das warme Braun der dunklen Kastanie. Dieses Konzept eignet sich gut für ein Wohn- oder ein Schlafzimmer.

Von den Fünfzigern inspiriert.

Polstermöbel in Pflaume (4) sehen neben Amethyst (1) prächtig aus; wählen Sie einen Stoff mit etwas Glanz, etwa Chenille oder Samt. Im Schlafzimmer beziehen Sie ein übergroßes Kopfteil in Pflaume, im Wohnzimmer machen Sie das mit dem Sofa.

Nehmen Sie dunkle Kastanie (5) und Altrosa (2) für Kissen mit unterschiedlicher Textur, oder wählen Sie einen Teppich mit all diesen Farben.

Halten Sie den Boden, die Vorhänge oder die Fensterläden neutral, etwa in Hanf (3), um das Konzept auszubalancieren.

Elegantes *Understatement*

Die Schönheit des Art nouveau mit frischen Farben umarmen.

Wie viele andere Stilrichtungen wollte der Art nouveau seine Formen in Einklang bringen. Dieses Farbkonzept will das gleiche. Die frischen, zarten Töne dieser Palette passen perfekt zu einem eleganten Windfang oder einem hellen, leuchtenden Salon.

1

2

3

4

5

Im Flur sehen Wandpaneele wunderbar aus, besonders wenn sie in traditionellem Creme (2) gehalten sind. Nehmen Sie dezentes Mauve (1) als sattere, komplementäre Wandfarbe über den Paneelen – das erzielt eine erstaunliche Wirkung.

Bei den Möbelstoffen verwenden Sie Schiefer (4). Experimentieren Sie mit der Struktur, etwa mit bodenlangen Seidenvorhängen.

Setzen Sie Highlights durch Details oder Accessoires in warmem Sand (5) und frischem Grün (3), beispielsweise mit Kissen oder Vasen.

Architektonische *Einflüsse*

Diese seriöse, zeitgemäße Palette will einfach in ein modernes Appartement oder in ein Gründerzeithaus – die zeitlosen Farben funktionieren in beinahe jedem Zimmer. Lassen Sie sich von Elementen in der Architektur inspirieren, wie etwa Trüffelgrau oder Stahlgrau.

Eine männliche, reduzierte, trotzdem kultivierte Farbgeschichte.

1

2

3

4

5

Streichen Sie die Wände in dezentem Mauve (1). Damit es sich wärmer und weicher anfühlt, wählen Sie Rosa-Creme (4) als Bodenfarbe.

Die Möbel in Trüffelgrau (5) beziehen; schweres Chenille oder Samt hat ein verblüffendes Aussehen und eine luxuriöse Textur.

Stellen Sie hochglänzende oder lackierte Möbel in Stahl- (2) oder Trüffelgrau dazu, verwenden Sie alle Töne, auch helles Silbergrau (3), bei den Vorhängen, Jalousien, Kissen und beim Teppich.

Eleganter *Cosmo-Stil*

Mit Mauvetönen ergeben Neutralfarben ein warmes Konzept.

Halten Sie alles einfach und gediegen mit Toffee- und Schokoladenfarben, die Sie mit gedecktem Mauve mischen. Die herrliche, cremige Anmutung dieser Farbkombination erzeugt ein opulentes, entspanntes Gefühl, das perfekt zu einem schönen Schlafzimmer oder einem gemütlichen Wohnzimmer passt.

1

2

3

4

5

Intensivieren Sie die Schönheit der nerzfarbenen (1) Wände mit Walnuss-Möbeln oder Möbeln, die in warmen Tönen von dunkler Schokolade (5) gestrichen sind. In Schlafzimmern machen Sie eine Wand hinter dem Bett mit Zwetschge (4) etwas dramatischer oder nehmen Polsterstoffe in dieser Farbe für ein großes, luxuriöses Kopfteil.

Kaki (2) und Eierschale (3) sind Neutralfarben, die z.B. bei Baumwoll- oder Leinenbettwäsche verwendet werden können. Nehmen Sie Bodenbeläge wie Seegras in Kaki, um diesem Konzept eine koloniale Note zu verleihen.

Art *nouveau*

Die Bewegung des Art nouveau in Architektur und Design nutzte stark stilisierte, organische Formen als Inspiration. Bei Möbeln, in der Architektur, in der Kunst und im Alltagsdesign wurden Töne aus der Natur eingesetzt. Nerz ist ein beruhigender Farbton und erinnert an die Ära des Art nouveau.

Ein kultivierter Stil, der hübsch und filigran bleibt.

1

2

3

Stoffe in einem bräunlichen Rosaton (4) und dunklem Lavendel (5), z.B. für Polstermöbel oder Vorhänge in einem großen Salon oder offenen Raum, passen farblich wunderbar zu Wänden in Nerz (1). Vor diesem Hintergrund streichen Sie Schränke, Holz oder Regale in Kalkgrau (2), das sich auch gut als Boden- oder Teppichfarbe eignet.

4

5

Als Accessoires Kissen in Kalkgrau, vielleicht in Seide oder Chenille, und große Keramikschüsseln oder Statuen in Heidekraut (3) und dunklem Lavendel.

Stimulierend, *warm und sinnlich*

Tolle Farben für einen Eingang oder Treppenaufgang.

Denken Sie an Französisch Grau, und Sie sind elegant gestimmt: Sie räkeln sich auf einer Chaiselongue und trinken Martini aus einem Kristallglas. Französisch Grau funktioniert einfach überall, die ausgewählten Farben passen besonders zu einem großen Flur.

1

2

3

4

5

Um einen alten Treppenaufgang neu zu beleben, streichen Sie die Sprossen in Elfenbein (2), das Geländer aber in einer dunkleren Farbe, z.B. pilzfarben (3), oder lassen Sie es in Naturholz, etwa Eiche. Fügen Sie entlang der Treppen einen Streifen hinzu, der Pilzbraun (3), dunkles Flieder (4) und Himbeerrot (5) enthält.

Stühle, Bilderrahmen und Wände in Französisch Grau (1) streichen, um maximalen Glamour zu erzielen. Vorhänge, Kissen und Accessoires in jeder Kombination der fünf Farben dazunehmen.

Gediegene *Üppigkeit*

Glamour und Wirkung dieses Konzepts sind für eine hypermoderne Küche oder ein offenes Wohnzimmer gedacht. Die Palette passt aber auch zum Schlafzimmer. In offenen Räumen eines Um- oder Neubaus machen Farben Spaß, packen Sie es also an!

Luxus ohne Kompromisse, voll fühlbarer Erfahrungen und Stoffe.

Um die maximale Wirkung vor Französisch Grau (1) zu erzielen, nehmen Sie eine Küche mit Schränken in glänzendem Purpur (3) mit glänzend schwarzen (4) Arbeitsplatten. Silbergraue (5) Accessoires und Geräte sowie Haushaltsgegenstände in Chrom erwecken die Farben zum Leben.

4

5

Für den Wohnbereich nehmen Sie einfache Streifen oder kräftige Muster in dunkler Schokolade (2) und Purpur für Möbelstoffe; als Hintergrundfarbe dient Französisch Grau.

Abendliche *Verheißung*

Eine maskuline Farbgruppe mit femininem Hauch.

In diesem Konzept trifft maskulin auf feminin, warm auf kühl. Obwohl die kühleren Töne von Marineblau und Stahlblau einen Kontrast zu den wärmeren Komponenten der Palette bilden, wirkt alles harmonisch. Diese stimmungsvolle Auswahl passt zu Arbeitszimmer oder Salon.

1

2

3

Streichen Sie die Wände in Erika (1) – eine schöne Ausgangsbasis.

Dämpfen Sie die rosa-purpurnen Akzente des Heidekrauts mit raumlangen Stores in dunklem Steingrau (2) und Stahlblau (3). Das Hauptpolster der Sofas und Stühle ist entweder in Stahlblau oder dunklem Steingrau. Dazu Accessoires in Marineblau (5), Vasen und Lampenständer in Stahlblau.

4

5

Nehmen Sie Blasslila (4) und Erika für Kissen und Decken, um das Konzept leichter zu machen.

Kur*bad*

Im späten 19. und frühen 20. Jahrhundert kannten die Reichen und Schönen alle Kurbäder Europas. Die Farben der Mineralien in Felsen und Kristallen können variieren – warum lassen Sie sich davon nicht inspirieren und schaffen Ihr eigenes Wellness-Bad?

Zünden Sie Kerzen an, lassen Sie ein Bad ein, entspannen Sie.

1

2

3

Streichen Sie die Badezimmerwände in Erika (1) und Feder und Nut sowie Badmöbel in sattem, warmen Maulbeere (5) oder frischem, beruhigenden Marmorgrau (3).

Für die Kacheln stehen Maulbeere und Heidelbeere (4) Pate. Das Konzept wird feiner mit natürlichem Schiefer. Spiegel nutzen alles verfügbare Licht.

4

5

Dekorieren Sie das Bad mit Accessoires und dicken, flauschigen Handtüchern in erfrischendem Marmor und Schwefelblau (2).

Von Hellas *inspiriert*

Kräftige blaue Details hellen eine neutrale Küche auf.

Im frühen 20. Jahrhundert waren die Delphos-Kleider des Modedesigners Mariano Fortuny von antiken Togen inspiriert. Aus Seide gefertigt, erfreuten sie sich aufgrund ihres Designs und ihrer Einfachheit bei der künstlerischen Elite seiner Zeit großer Beliebtheit. Dieses Konzept ist eine Hommage an ihn.

1

2

3

4

5

Verwenden Sie diese wunderbare Farbkombination, um Ihre Küche oder Ihr Esszimmer zu verschönern. Nehmen Sie weiches Iris (1) für fast alle Küchenzeilen; bei einer größeren Küche streichen Sie ein einzeln stehendes Element in feinem Marmor (2). Fügen Sie Arbeitsplatten in Eiche (3) hinzu. Streichen Sie die größte Wand in Staubblau (5) und den Rest in feinem Marmor.

Falls Platz ist, stellen Sie einen Esstisch aus Eiche, dazu petrolblau (4) gepolsterte Stühle. Denken Sie auch an das Geschirr: Mischen Sie Teller in weichem Iris, Staubblau und feinem Marmorgrau.

Die *Belle Époque*

Die Belle Époque (franz.: schöne Zeit) ist eine Bewegung des 19. Jahrhunderts. Sie bot den Reichen Dekadenz und betonte überbordenden Dekor, etwa bei filigranen Sonnenschirmen, Federhüten und schönen Handschuhen mit Riemen.

Eine Zeit des Überflusses wird in diesem Konzept neu entdeckt.

1

2

3

Ein wahrlich schönes Schlafzimmer hat Wände in weichem Iris (1) und Möbel im französischen Boudoir-Stil in sattem Creme (2).

Nehmen Sie ein barockes Bett und perfekt geformte Schränke. Die vielen Details dieses Möbelstils wirken klassisch, wenn sie gestrichen sind. Beziehen Sie das Kopfteil, einen alten Stuhl oder eine Chaiselongue in Altrosa (3) und Heidelbeere (4), nehmen Sie Farngrün (5) als Akzentfarbe für Kissen und kleinere Accessoires.

4

5

Dieses Konzept wird heller, wenn Sie den Boden in sattem Creme streichen, oder kräftiger mit einem Teppich in Heidelbeerblau.

Dynamischer *Glamour*

Der Stil des Art déco: elegant, funktionell und vor allem modern.

Aus dieser glamourösen Bewegung entstand der Modernismus. Opulent und verschwenderisch war der Art déco eine Stilmischung: Die Details waren geometrisch und die Bilder stilisiert. Hiervon inspiriert, passt dieses Konzept zu größeren Wohnflächen mit hohen Decken und architektonischen Details.

1

2

3

4

5

Streichen Sie mit Mauve (1) die Wände des offenen Wohnbereiches. Zum Ausgleich für die zarte Farbe Mauve fügen Sie maskuline Grün- und Grautöne hinzu. Metalloberflächen in Chrom und Stahl waren im Art déco wichtig. Nehmen Sie Stahlblau (2) für die Möbel und Chrom für sämtliche Metallteile.

Schaffen Sie einen geometrischen Kamin oder Möbeloberflächen in Marmorgrau (3).

Akzentuieren Sie mit Möbelstücken in kräftigem Purpur (5) und gedecktem Blaugrün (4).

Vintage-*Stil*

Der Vintage-Stil wandelt sich ständig. Halten Sie Ihre Augen offen, welche Einzelstücke, ausdrucksstarken Möbel, interessanten Drucke oder Bilder Sie entdecken. Kombinieren Sie verschiedene Farben und Texturen, Muster mit Uni, Seide mit Baumwolle und Holz mit Spiegeln und Plastik.

Palette mit einer Auswahl Ihrer Lieblings-Vintage-Stücke.

1

2

3

Streichen Sie die Wände in Mauve (1) und nehmen Sie als Bodenbelag oder Bodenfarbe das etwas dunklere Flieder (2). Taupe (4) ist die Hauptfarbe der Vorhänge sowie der größten Möbelstücke, Kohlegrau (5) die aller anderen Teile. Wählen Sie hochwertige Stoffe für die Möbel und Vorhänge – sie müssen sich luxuriös anfühlen, damit dieses Konzept nicht kitschig, sondern schick wirkt.

4

5

Dazu gestreifte Teppiche und Überwürfe in Buttermilchgelb (3) sowie Flieder, um den Stil zu vervollständigen.

Hübsch *in Rosa*

Sanfte Rosatöne, ideal für ein Mädchenzimmer.

Wird Rosa zu stark eingesetzt, erschlägt es. Rosa macht aber ein Schlafzimmer hübsch, fast duftend, wenn es achtsam mit diesen Akzentfarben kombiniert wird. Diese verspielten Rosa- und Violetttöne erinnern an die Farbpalette von Lippenstiften und sind perfekt für ein Mädchenzimmer.

1

2

3

4

5

Streichen Sie die Wände rosagrau (1). Betonen Sie einen Kamin oder Einbauschrank in zartem Rosé (3).

Für die Fenster Rollos in Kaffeebraun (4) nehmen, dazu für Stores feinen, fließenden Voile oder Seide in hellem Flieder (2) oder wunderhübschem Stiefmütterchen-Rosa (5).

Für Mädchen kommt es auf die Details an: Fügen Sie Glasgriffe und dekorative Accessoires in Stiefmütterchen-Rosa hinzu. Die Bodendielen sind in reinem Weiß oder, damit es wärmer wirkt, der Teppich in Kaffeebraun.

Zeitlose *Romanze*

Eine reifere Palette für einen romantischen, doch zeitgemäßen Look.

Lassen Sie sich von Make-up-Farben inspirieren, aber verfeinern Sie die Rosa- und Purpurtöne zu gedecktem Rosagrau und Neutralfarben. Setzen Sie kräftiges Rot, Rosa und Purpur als Akzente ein, beispielsweise mit Kunstwerken, einer Vase oder einem einfachen, kräftigen Kissen.

1

2

3

Um rosagraue (1) Wände zu vervollständigen, streichen oder tapezieren Sie eine einzelne Wand in Lavendel (3).

Halten Sie Sofas und Stühle in einem neutralen Grau (2) mit einem einfachen Webstoff.

4

Fügen Sie Lampen und diffuses Licht mit einfachen Lampenfüßen aus Glas und Schirmen in Lavendel oder Rosagrau hinzu.

5

Koralle (4) und/oder Ochsenblutrot (5) auf einer Leinwand, als Bodenvase oder einzelner Stuhl runden das Konzept ab.

Moderne Kunst

Zwischen kühlem Blaugrau, Grüntönen und warmen, neutralen Steinfarben flirrt Grau als stimmungsvoller, zeitgemäßer Farbton. Die Palette passt zu geometrischen Formen, Stahl, Glas und Metall. Setzen Sie mit einem Hauch kräftiger Pigmente oder hellen Farben Highlights auf schlammiges Creme, trübes Weiß und Kieselgrau. Die folgenden Seiten vermitteln Bilder moderner Innenräume, die funktional und nützlich sind.

Moderne *Primärfarben*

Mondrians Linien für ein keckes, buntes Spielzimmer.

Der große französische Maler Piet Mondrian steht für Bilder in Primärfarben und Schwarz. Seine Gemälde mit geraden, schwarzen Linien und roten, gelben und blauen Flächen haben zahllose Designs und Interieurs beeinflusst. Interpretieren Sie seinen Stil auf Ihre eigene Weise!

Streichen Sie gegenüberliegende Wände oder Paneele in einer Kombination aus Primärrot (2), leuchtendem Gelb (3) und Blau (4). Linien in Kohlschwarz (1) trennen die Flächen. Verlegen Sie einen Gummifußboden in Kohlschwarz und setzen Sie Farbpunkte durch Teppiche in den drei Primärfarben.

Damit der Look frisch und sauber bleibt, streichen Sie die Fußleisten und die Decke in reinem Weiß (5).

Als Zusatzüberraschung für Ihre Kinder malen Sie Rechtecke mit Tafelfarbe an die Wand.

Lebendige *einfache Linien*

Der Maler Wassily Kandinsky war besessen von Farbe und Form, seine Gemälde von Anfang des 20. Jahrhunderts sind wahre abstrakte Farbexplosionen. Seine Formen und Farben überdecken und kreuzen sich fast zufällig und sehr frei.

Schichten von Grau und Ocker für ein luxuriöses Schlafzimmer.

1

2

3

4

5

Halten Sie die Möbelierung im Schlafzimmer einheitlich – Bett und Schranktüren in Kohlschwarz (1) oder glänzendem oder schwarzem Glas. Streichen Sie die Wände in Kreide (3), halten Sie den Teppich in kräftigem Ocker (2). Wenn Sie eine schöne Retro-Tapete mit Ocker, Purpur und Schwarz finden, tapezieren Sie damit die Bettseite des Raums. Das Kopfteil des Bettes mit dekadenter kohlschwarzer Seide beziehen, mit Seidenknöpfen in Kreide.

Zum Schluss legen Sie Decken in Tönen von Ocker, Mintgrün (4) und Purpur (5) aufs Bett.

Pop-*Art*

Inspiriert von den Swinging Sixties.

Die Sechzigerjahres waren eine Zeit des Umbruchs, und die Palette der 1960er war mit kräftigen und hellen Tönen gleichermaßen neu, aufregend und radikal. Die Farben passen gut zu einem großen, hohen Raum.

1

2

3

4

5

Streichen Sie die beiden größten Wände in Minzweiß (2), um einen Schwerpunkt zu setzen, die restlichen Wände in reinem Weiß (3). Teppich, Dielen oder Gummiboden in Kohlegrau (1) wählen.

Stellen Sie peppige Möbelstücke in Rot-Orange (4) und kleinere Objekte, etwa Kissen und Vasen, in Blasslila (5) dazu.

Zum Schluss akzentuieren Sie die weißen Wände mit Pop-Art-Drucken auf Leinwand, um alle Farben noch einmal zu vereinigen.

Künstler*atelier*

Hatten Sie je das Glück, einen Künstler bei der Arbeit zu beobachten? Paletten, Tiegel, halbfertige Gemälde und Pinsel liegen im Atelier verstreut – ein organisiertes Chaos, aber trotzdem ein einladender, gemütlicher Ort.

Eine neutrale Grundlage ist wie eine Leinwand, auf der Sie arbeiten.

1

2

3

Kreieren Sie das Paradies eines Künstlers mit Fundstücken und kuriosen antiken Möbelstücken.

Nehmen Sie Kohlegrau (1) für die Wände eines gemütlichen Aufenthaltsraums, für den Teppich cremiges Sand (2).

4

Holzoberflächen unterschiedlich gestalten, etwa in dunklem oder mittlerem Eiche (5, 4), beispielsweise durch Möbel oder Bilderrahmen. Sie können auch einen gerahmten Spiegel in derselben Anmutung aufhängen. Moosgrün (3) ist die ideale Polsterfarbe für Stühle und Möbelstoffe.

5

Eindruck *hinterlassen*

Setzen Sie Farbe ein und umarmen Sie den Impressionismus.

Der Impressionismus des späten 19. Jahrhunderts hat die Malerei revolutioniert. Alltagsszenen waren sein Sujet, die sichtbaren Pinselstriche, ungewöhnlichen Blickwinkel und die Bedeutung des Lichts und seines Wandels waren in Einklang mit der Natur.

Diese schöne Palette aus sanften, zeitlosen Akzenten wirkt überall, ist aber perfekt für die Küche.

Die Arbeitsplatten und Fliesen in Granitgrau (1), dazu in Aschweiß (2) gestrichene Regale und Griffe in Morgenblau (5). Dieser Blauton zieht Farbe aus dem Granitgrau heraus.

Für die Decke und das verbleibende Holz nehmen Sie reines Weiß (3) und streichen die verbleibenden Wände in Lavendelweiß (4).

Das Geschirr kann in jeder dieser Farben gehalten sein.

Wetter *malen*

Der große englische Maler Joseph William Turner ist berühmt für seine dramatischen Darstellungen des Wetters, von Sonnenschein, Stürmen, Regen und Nebel. Seine Gemälde sind voll Farbe, selbst in seinen Bildern von Schiffswracks und Stürmen gibt es Stellen in Rosa, Orange und Hellblau.

Turners stimmungsvolle Farben passen zum Flur eines traditionellen Hauses.

1

2

3

Interpretieren Sie Turner für sich, um einen überwältigenden Windfang und Flur zu gestalten.

Nehmen Sie Naturstein- oder Schieferfliesen in Granitgrau (1) für den Boden. Streichen Sie unterhalb der Deckleisten in Schieferblau (4), darüber in hellerem Naturstein (3).

4

5

Streichen Sie Fußleisten und Holz in Steinweiß (2), die Treppen erhalten einen Läufer in Lachsrosa (5) als Farbklecks. Sie können diese Farbe aber auch durch einen Bilderrahmen oder eine Vase in den Raum bringen.

Dezentes *Fresko*

Eine Rougepalette, von Stuckfarben inspiriert.

Ein Fresko ist eine schwere und herausfordernde Aufgabe. Viele der bedeutendsten Gemälde, etwa die Decke der Sixtinischen Kapelle, sind Fresken. Die Farben werden auf eine Putzschicht aufgetragen, die Pigmente sinken dort ein, so dass der Putz zum eigentlichen Medium wird.

Dieses Konzept passt perfekt zu einem Schlafzimmer oder einer Lounge.

Panthergrau (1) ist die Grundfarbe der Möbel; sie können wie die Wände einfach gestrichen oder mit Grau-Eiche lackiert werden. Alternativ streichen Sie die Wände in Pflaster- (4) und das Holz in Austernrosé (2), um einen zarten Farbunterschied zu erzielen.

Möbel mit Samt oder Seide in Nerzbraun (3) polstern. Einen einfachen, elegant gemusterten Stoff für Vorhänge in einer Mischung aus gedecktem Rosa (5) und Nerzbraun wählen.

Wilder *Fauvismus*

Von dem französischen Wort fauve (wildes Tier) inspiriert, gingen die Fauvisten wild mit Farbe um. Der Fauvismus entstammt dem Impressionismus, seine Künstler, etwa Henri Matisse und Raoul Dufy, arbeiteten mit einfachen Formen in kräftigen Farben.

Die Fauvisten bevorzugten Blau- und Purpurtöne in ihren Bildern.

1

2

3

Nehmen Sie kräftige Farben à la Dufy für eine Erwachsenenlounge. Streichen Sie die Wände außer einer, die den Hintergrund bildet, in Panthergrau (1). Bespannen Sie die Wandpaneele mit lavendelfarbener (3) Seide. Den Teppich in weißem Flieder (2) wählen, er sollte seiden schimmern.

4

5

Rahmen Sie den Eingang der Lounge, jedes Außenfenster und jede Glastür mit hohen, eleganten Umtöpfen aus dunklem Ozeanblau (5), pflanzen Sie darin einfache Pflanzen oder Kakteen.

Seidenvorhänge in Chinesisch Blau (4) und Lavendel stoßen auf den Teppich.

Das Außen *nach innen holen*

Diese Farbkombination beruht auf der Welt draußen.

Um 1880 zogen viele britischen Künstler nach Cornwall, das kleine Fischerdorf Newlyn mauserte sich zu einer Künstlerkolonie der „Plein Air"-Schule. Diese Künstler ermutigten ihre Kollegen, „in der Landschaft" zu malen.

1

2

3

4

5

Die silbernen Untertöne von Butterblumencreme (2) passen zu einem bleifarbenen (1) Teppich oder einem Natursteinboden. Nehmen Sie es als Wandfarbe und dazu für die Vorhänge gewobenes, schweres Leinen in Leinengrau (5) mit einem hauchzarten Stoff in Pastellweiß (4) darunter.

Verwenden Sie leinengraue Wolle oder Chenille als Polsterstoff für luxuriöse Sofas. Fügen Sie jede Menge Kissen in Blassgrün (3) mit jeweils verschiedener Textur hinzu.

Natürliches *Arrangement*

Skulpturen sind einfach schön – ob es sich um Henry Moores große abstrakte Formen oder einen winzigen Art-déco-Bronzeakt handelt. Eine Skulptur ist an sich sehenswert. Wenn Sie das bedenken, passt diese Palette zu einem Innenraum mit einem Wasserbecken, bei dem das Wasser im Mittelpunkt steht.

Eine Farbkombination, um die Sie jedes Wellness-Hotel beneidet.

1

2

3

Die wunderbare Kombination aus reinen, glänzenden und modernen Neutralfarben nutzt diesen Raum optimal.

Fliesen Sie den Poolbereich in Bleigrau (1) und die Ränder des eigentlichen Beckens in Marmorgrau (4). Streichen Sie die ungekachelten Wände in dunklem Stein (2).

Um den Pool stellen Sie Möbel in dunklem, forstbraunem (3) Holz.

Dazu legen Sie Stoffe und Handtücher in Tintenblau (5).

4

5

Sammel*charakter*

Bringen Sie Ihre Foto- oder Gemäldesammlung richtig zur Geltung.

Etwas ganz Besonderes ist eine Auswahl an unterschiedlich großen Bilderrahmen, die die Farbe Bronze (4) optisch eint. Streichen Sie die Wände in Leinengrau. Die Bronzeanmutung betont die Rahmen vor den leinengrauen Wänden.

1

2

3

4

5

Der Boden dieses Raums ist hell – streichen Sie Dielen in Elfenbein (2) oder legen Sie einen Teppich in dieser Farbe.

Stellen Sie skurrile Holzmöbel in dunkler Eiche oder Walnuss (5) hinein. Halten Sie sie in derselben Farbe oder Oberflächenstruktur, variieren Sie aber bei der Größe.

Für die Polster und Vorhänge wählen Sie eine Kombination aus gestreifter, geblümter und einfarbiger Baumwolle in Salbei (3), Leinengrau (1) und Elfenbein. Accessoires in weiteren Kombinationen dieser Akzentfarben.

Art-déco-*Dekoration*

In vielen Art-déco-Bildern und Interieurs der 1920er und 1930er sind die Hauptfarben helle, sinnliche Hintergrundfarben wie Grau, Creme, Beige oder Elfenbein. Dazu erzielten kräftigere Stoffe oder Materialien dramatische Effekte. Warum probieren Sie es nicht?

Vom Art déco inspirierte Konzepte für einen Wintergarten.

1

2

3

Spendieren Sie sich einen schönen alten Sandstein- (4) oder Travertin-Boden. Vermutlich gibt es nicht allzu viele Wände, Sie streichen sie in Leinengrau (1).

Zu modernen Rattan- oder Polsterstühlen und -sofas in Elfenbein-Rouge (3) kommen Zierkissen in Café au lait (2) und Kohlegrau (5).

4

5

Zum Schluss stellen Sie große Umtöpfe in Kohlegrau auf und pflanzen dort widerstandsfähige, langsam wachsende Pflanzen.

Moderne *Materialien*

Design und Farbe, vom berühmten Barcelona-Stuhl inspiriert...

Der Barcelona-Stuhl ist berühmt für seine perfekte Form und Eleganz. Der deutsche Architekt Mies van der Rohe entwarf diesen Stuhl ursprünglich für das spanische Königspaar anlässlich der Weltausstellung 1929 in Barcelona.

1

2

3

4

5

Ideal für eine Lounge, ein großes Treppenhaus oder einen Flur.

Im Zentrum des Raums platzieren Sie zwei Barcelona-Stühle symmetrisch zueinander, beide in Schwarz-Braun (3). Stellen Sie sie auf einen Teppich oder auf Fliesen in zartem Elfenbein-Rouge (4).

Streichen oder tapezieren Sie die Wände in Betongrau (1), wählen Sie für bodenlange Stores Seiden- oder Baumwollsatin in Kupfer (5) oder Milchschokolade (2). Dazu Keramikvasen, Blumentöpfe oder Skulpturen in Schwarz-Braun oder Kupfer.

Erd*farben*

Als Farben noch nicht chemisch erzeugt wurden, stellte man sie aus Erde her. Diese Erdfarben waren Naturpigmente, die aus dem Boden stammten, darunter Roter Ocker, verschiedene Gelb- und Brauntöne sowie Terre Vert, eine Art Graugrün.

Farbtöne der Erde schaffen Wärme und Gemütlichkeit.

1

2

3

4

5

Setzen Sie dieses Erdkonzept in der Wohnung ein – es erzeugt einen entspannenden und informellen Raum, in dem Sie lesen, ausruhen oder ganz einfach schlummern können.

Beton (1) ist ein gutes Basisgrau, das durch die weichen Akzente von hellem Terrakotta (2) und Sand (3) wärmer wird. Wählen Sie einen Naturteppich und einfache Vorhänge in hellem Terrakotta, Sand und Wasserblau (4).

Sofas in natürlichem Indigoblau (5) beziehen, dazu große Baumwollkissen in Sand und Wasserblau. Regale und Bilder machen diesen Rückzugsort perfekt.

Afrikanische *Kunst*

Kräftige Farben und Tiermotive für eine Vision von Afrika.

Eines der Kennzeichen des Art déco war die Verschmelzung verschiedenster kultureller Einflüsse. Die aufregende Safari, die für Reisende dieser Zeit ein Muss war, wurde zu Hause durch auffallende Gegenstände wie ein Sofa mit Zebrastreifen, Polster in Leopardenmuster oder Ebenholzstühle nachempfunden.

1

2

3

4

5

Nehmen Sie diese Tonfarbe (1) als neutralen Hintergrund. Streichen Sie die Wände in dieser Farbe und hängen Sie zarte, seegrüne Vorhänge (3) an schwarze (2) Stangen. Beziehen Sie einen alten Stuhl mit Tiermotiven und platzieren Sie diesen direkt neben eine Truhe, die Sie in Erdrot (5) streichen.

Als Accessoires stellen Sie senffarbene (4) Vasen symmetrisch nebeneinander auf ein Regal oder ein Möbelstück, dann vereinen Sie alle kräftigen Erdfarben in einem gestreiften Teppich.

Aus *Ägypten*

Die alte ägyptische Kultur verdankt ihre Existenz dem fruchtbaren Land entlang dem Nil. Kombinieren Sie die natürlichen Farben des Landes mit den Farben des Himmels, und Sie erhalten ein lustiges, aber erwachsenes Konzept, das besonders zu Jugendzimmern passt.

Ein von der Landschaft Ägypten inspiriertes Konzept.

1

2

3

Streichen Sie die Wände in Ton (1), dann eine Wand oder eine Seitenwand des Kamins in Nilblau (3) mit Pfauenblau (2) auf der Vorderseite.

Als Wandschmuck sprayen Sie breite Bilderrahmen in Palmgrün (5) auf und hängen Fotos, Collagen oder abstrakte Drucke auf.

4

5

Streichen Sie Jalousien in Streifen von Palmgrün und Pfauenblau, bemalen Sie Schränke, Truhen oder Regale in Altem Gold (4).

Hügel*landschaften*

Die Fülle und Lebendigkeit einer Landschaft für drinnen.

Die Renaissance wurde im Hügelland der Toskana in Italien geboren, dort ist ihr reiches kulturelles Erbe zu bewundern. Dieses Konzept erinnert an die üppige italienische Landschaft mit Zypressen, Olivenhainen und Weingärten, über denen eine strahlende Sonne steht.

1

2

3

4

5

Um die Schönheit der Toskana zu beschwören, setzen Sie dieses Konzept in einer Lounge oder einem Esszimmer ein.

Streichen Sie die Wände in gebranntem Ton (1) und stellen Sie in sattem, samtenem Oliv gepolsterte (4) Sofas hinzu, ebenso maisfarbene (2) Einzelstühle.

Auf den warmen Natur-Eichenboden legen Sie ein paar Teppiche mit Streifen in Smaragdgrau (5) und Toskanagelb (3).

Kissen, Vasen oder Keramikschalen in jeder der gewählten Farben dienen als Accessoires.

Renaissance-*Italien*

Diese Farbgruppe passt überall, ihre Grundlage sind drei Neutralfarben mit rosafarbenen Rottönen. Renaissance bedeutet Wiedergeburt, das Wort steht für Wandel. Wenn Sie ein Zimmer völlig renovieren, brauchen Sie dafür ein Konzept.

Warme Neutralfarben mit roten und rosa Akzenten.

1

2

3

Für das Bad wählen Sie einen kräftigen, warmen Travertin-Boden, Wandkacheln in gebranntem Ton (1) und als Abschluss ein Mosaik mit Steinchen in gebranntem Ton, Buttermilchgelb (2) und dunklem Stein (3). Diese einfache Anwendung von Neutralfarben sieht großartig aus. Streichen Sie die restlichen Wandflächen in Buttermilchgelb.

4

5

Für einen Spiegelrahmen oder eine Blumenvase auf der Fensterbank nehmen Sie Granat (5). Als letztes kommen Handtücher in Granat, Pflasterrosa (4) und Steingrau hinzu.

Wasser*farben*

Sanfte und zerbrechliche Wasserfarben für Ihr Schlafzimmer.

Wasserfarben sind für ihre Transparenz und Zartheit bekannt. Betrachten Sie Ihr Lieblingsaquarell, Sie finden darin viele verspielte Farben. Sie überlappen sich und erzeugen dadurch neue Farben und fließende Übergänge.

1

2

3

Im Schlafzimmer können Farben und Stoffe weich und zart eingesetzt werden. Sie schaffen Raumeffekte wie bei einem Aquarell.

Versuchen Sie, die Wände mit Pastellweiß (1) und Minzgrün (2) zu tünchen. Drapieren Sie hauchdünne Gardinen am Fenster in Schichten aus Buttermilchgelb (4), die im Wind wehen und das Licht streuen können. Betonen Sie die Sonnenscheinfarben mit Pfirsichrosa (3) und warmem Gelb (5). Verzieren Sie einen Stuhl oder eine Truhe mit einem einfachen Muster in Pfirsichrosa, warmem Gelb und Minze.

4

5

Stimmungsvolles *Blau*

Blau kann sowohl eine männliche als auch eine weibliche Farbe sein und monochromatisch funktionieren. Ruhige Blautöne innerhalb eines Farbkonzepts hellen die Stimmung auf, dunklere Töne fügen Dramatik hinzu. Die Bandbreite der Stahlblau-Töne eignet sich gut für ein helles Erwachsenenzimmer.

Experimentieren Sie mit dunklen und hellen Blautönen.

1

2

3

Streichen Sie die Wände in Pastellweiß (1). Das lässt den Raum hell und luftig und damit größer wirken. Halten Sie alle Polster, Vorhänge und Möbelstoffe in Schieferblau (4).

Dazu Accessoires in den restlichen Tönen Eisblau (2), in frischem Blau (3) und Sturmblau (5), etwa durch ein Paar großer Bodenvasen in Eisblau oder einen gestreiften Läufer in allen drei Blaus.

4

5

Den letzten Pfiff geben große Kissen mit unterschiedlicher Textur in Sturmblau.

Kohle*zeichnung*

Grautöne für einen seriösen, kultivierten und zeitgemäßen Look.

Kohle ist ein uraltes Malmaterial. Ihre Flexibilität lässt dünne wie dicke Striche zu, man kann auch große Flächen schattieren. Das Spiel mit Farbtönen wie Kohle und ihr Zusammenspiel mit helleren Neutralfarben erzeugt ein faszinierendes Interieur.

1

2

3

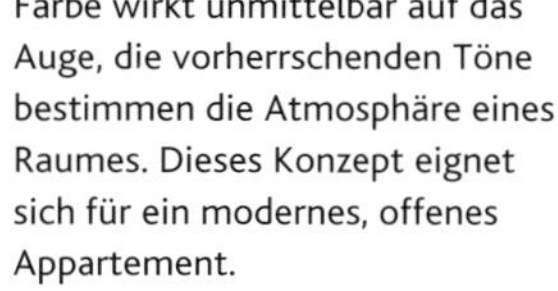

Farbe wirkt unmittelbar auf das Auge, die vorherrschenden Töne bestimmen die Atmosphäre eines Raumes. Dieses Konzept eignet sich für ein modernes, offenes Appartement.

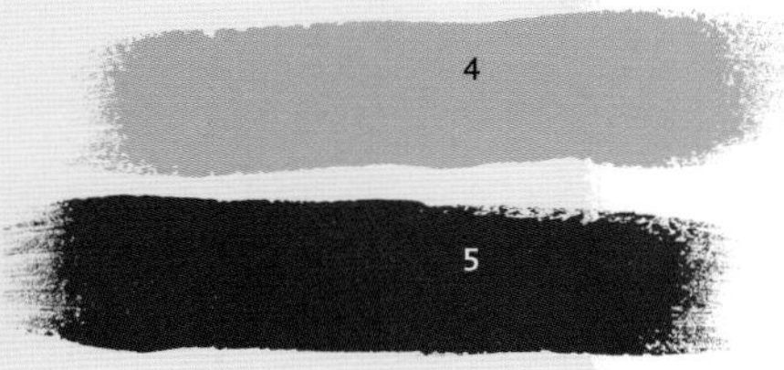

4

5

Möbel in gedecktem Basilikum (4) und schwarzem Leder (5) passen zu dieser Umgebung. Streichen Sie eine Akzentwand in Panthergrau (3), sie hebt sich vor den in der Grundfarbe Kreideweiß (1) gestrichenen Wänden ab.

Nehmen Sie Töne in weichem Grau (2) für den Teppich und für die Möbelstoffe unterschiedlicher Textur. Grafiken in Schwarz-Weiß und Spiegel runden den Look ab.

Kreide*weiß*

Neutralfarben schaffen helle und luftige Räume und holen das Beste aus vorhandenem Licht heraus. Alle hier gewählten Farben sind gleich „stark", der Gesamteindruck wirkt harmonisch und entspannt. Diese leuchtenden, reinen Farben funktionieren in einer Küche oder im Schlafzimmer.

Kreidige Pastelltöne sind so frisch wie ein Sommertag.

1

2

3

Limonenweiß (2) passt perfekt zu gestrichenen Möbeln und Regalen. Streichen Sie die Wände in Kreideweiß (1). Dielenboden streichen Sie ebenfalls in Kreideweiß; damit wird der ganze Raum leicht und frisch.

4

Nehmen Sie einen hübschen, floralen Stoff in Leinengrau (5) und hellem Ziegelrot (4), der auch Töne wie Limonenweiß oder helles Pfirsich (3) aufweist, für Polster oder Stores.

5

Unterschiedliche Texturen und Materialien bringen Kontrast in das Konzept, Vasen und Keramikschalen als Accessoires können jede dieser Akzentfarben haben.

Überwältigendes Meerespanorama

Brandende Wellen, einsame Strände, stimmungsvolle Blautöne und stürmisches Grau: Die Natur vermag uns immer wieder zu inspirieren, ohne dass wir es merken. Das Meer ist ein unerschöpflicher Quell von Farben und Farbtönen. Betrachten Sie die unterschiedlichen Farben einer Muschel, nehmen Sie sandige Neutralfarben, um Blaugrau zu ergänzen, ebenso die hellsten und dunkelsten Töne eines stürmischen Himmels.

Mitternachts*blau*

Eine Schatzkiste von Küstenfarben.

Küstenlandschaften sind stets inspirierend. Das klare, seichte Küstenwasser der Tropen versprüht eine Explosion von natürlichen Farbkombinationen. Sie können sie imitieren, indem Sie Mitternacht gegen Neongelb und Korallenorange setzen.

Spüren Sie den Künstler in sich und streichen Sie die Wände des Kinderzimmers in Mitternachtsblau (1). Lassen Sie eine Wand oder ein Teilstück frei, auf dem Sie eine Unterwasserszene in Neongelb (4), Korallenorange (5), Marine (3) und Aqua (2) aufmalen. Bodenbelag oder -farbe ist marineblau, dazu kommen große bunte Teppiche.

Nehmen Sie leuchtendes Korallenorange für die Lampenschirme und streichen Sie die Möbel in Aqua und Neongelb, um einen leuchtenden, fröhlichen Look zu erhalten.

Tiefes, *blaues Meer*

Blautöne haben eine beruhigende Wirkung und werden daher in Schlafzimmern, Bädern und Arbeitszimmern verwendet. Sie können jedoch kalt und abweisend wirken, Ihr Blau sollte also nicht zu kühl sein. Nehmen Sie ein Blau mit warmem Unterton oder kombinieren Sie es mit warmen Akzentfarben.

Die Wärme von Naturstein als Komplimentärfarbe zu Blau.

1

2

3

4

5

Diese Palette passt in ein glänzendes, modernes Bad.

Nehmen Sie Mitternachtsblau (1) als Wandfarbe im Bad, das mit Naturkacheln in traditionellem Creme (4) und Steingrau (5) gefliest ist. Weiß bedeutet rein und frisch, ist also ideal für ein Bad. Wählen Sie daher rein weiße (2) Becken.

Halten Sie alles schlicht, fügen Sie Handtücher in hellem Nebelgrau (3) und Mitternachtsblau hinzu.

Stürmisches *Wetter*

Eine Sammlung von Stahlfarben für das Arbeitszimmer.

Das Spektrum von Blau bis Grau, das im Meer und im Himmel vorkommt, scheint unendlich. Die Natur bietet uns mannigfache Farbkombinationen, die Designer immer wieder aufgreifen. In einem kleinen Raum können dunkle Farben Wunder wirken, sofern sie gut gewählt sind.

1

2

3

4

5

Streichen Sie die Wände in Sturmblau (1) und das Holz in Blassgrau (2), ebenso auch die Details wie etwa Regale oder Kaminsimse. Umrahmen Sie das Fenster mit Stores oder Rollos entweder in Blassgrau oder hellem Seegrün (5).

Beziehen Sie einen Sessel mit traditionellen Blumenmustern, die Sturmwolkengrau (4) und helles Seegrün enthalten.

Dazu einfache Kissen in jeder der Akzentfarben der Palette und spiegelnde und stahlblaue (3) Accessoires, etwa Kerzenständer, Vasen oder Bilderrahmen.

Kunst *aus Treibholz*

Treibholz am Meeresstrand zu sammeln und über seine Herkunft nachzudenken ist zutiefst romantisch. Es gibt sogar Möbel, Spiegelrahmen und Skulpturen, die Handwerker aus Treibholz anfertigen.

Gebleichte Akzentfarben imitieren Treibholz.

1

2

3

Für den perfekten Hintergrund für Accessoires aus Treibholz streichen Sie die Wände in Sturmblau (1) und tapezieren eine Wand mit einem fließenden Muster aus Sturmblau und hellem Nebelgrau (4).

4

Die Möbel sollten hell sein, entweder mit gebleichter oder sehr heller Holzoberfläche, dazu ein großer gestreifter Teppich in Nebelgrau und Muschel (2). Möbelpolster in hellem Sand (3). Einzelne Kissen in Sturmblau, Nebelgrau, dunklem Holz (5) und Muschel in verschiedenen Texturen komplettieren das Ensemble.

5

Neuengland-*Stil*

Ein gemütliches Konzept für das Familienwohnzimmer.

Kissen mit Applikationen, Herzen auf handgeschmiedeten Kaminzangen, dekorative Zinntafeln, Holzwände und Schiebefenster sind typisch für den Baustil Neuenglands. Ein so eingerichtetes Familienwohnzimmer macht Spaß.

1

2

3

4

5

Nehmen Sie Stahlgrau (1) zu jedem Aspekt des Konzepts dazu; streichen Sie Holzläden so, werden sie zum Blickfang. Streichen Sie Wände in Dunstblau (3), dekorieren Sie sie mit Zinntafeln und Bildern von Booten und Seen in holz- (5) oder stahlfarbenen Rahmen.

Bedecken Sie Sofas mit schwerem Damast in Stahl und setzen Sie mit Woll- oder Samtkissen in Babyblau (2) und Dunstblau Akzente. Dazu Möbel im Shaker-Stil; beziehen Sie einen Stuhl in von der amerikanischen Fahne inspirierten Streifen in Flaggenrot (4), Stahlgrau und Weiß.

Verblüffende *Ausblicke*

Die ähnlichen Farben dieser Palette sind eine weitere Art, die Schönheit der Küste in Ihr Zuhause zu bringen. Um das Maximale aus einer großartigen Aussicht herauszuholen, betonen Sie die Fenster innen mit einfachen Vorhängen und Blumentöpfen und lenken so den Blick nach außen.

Nutzen Sie den Meerblick optimal mit reduziertem Interieur.

1

2

3

4

5

Streichen Sie die vorhandenen Wände im Wintergarten in Stahlgrau (1) und sämtliches Holz in reinem Weiß (2). Bei solchen Räumen sind Fenster gewöhnlich die Hauptsache. Wählen Sie die Vorhänge mit Bedacht: Bei kleinen Fenstern nehmen Sie einfache Rollläden in Stahl, bei hohen Fenstern Stoffe in Stahlgrau und Mokka (3) für Vorhänge oder Jalousien.

Fassen Sie das Konzept mit schwarzem (4) Leder und chromgrauen (5) Möbeln zusammen. Zuletzt umrahmen Sie die Hauptaussicht mit schwarzen Übertöpfen, in die sie üppig grüne Pflanzen stellen.

Raue *Landschaft*

Holen Sie die Mineralien der Erde in ein modernes Badezimmer.

Denkt man an eine Küstenlandschaft, fällt einem zuerst das Meer ein – man darf aber den Sand, die Klippen und die schroffen Felsen entlang der Küste nicht vergessen. Naturstein und Marmor, die aus der Erde gewonnen werden, sind einfach die schönsten Materialien für ein Bad.

1

2

3

Bilden Sie Ihr Konzept um Marmor herum und fliesen Sie den Boden und eine Wand in Eis (2) und Pastellgrau (3). Streichen Sie die übrigen Wände in Kieselblaugrau (1).

4

Fügen Sie mit einer Badewanne mit Füßen Glamour hinzu und streichen Sie die Außenseite und die Füße in Kieselblaugrau.

5

Bringen Sie mit Stoffen Farbe hinein. Bei einem großen Fenster nehmen Sie Vorhänge aus Seidenorganza in Zitringelb (4) und Mittelblau (5). Ein Baumwolldruck für eine Jalousie geht ebenfalls. Handtücher und Badematte in Mittelblau geben eine frische Anmutung.

Küsten*linie*

Salzluft und kräftige Seewinde formen die verwitterten Felsen und die raue Landschaft der Küste. Stellen Sie sich weiße Kreidefelsen vor, die in einem eleganten Bogen das Meer begrenzen – und verwenden Sie diese Klarheit in einem Windfang.

Die Schlichtheit der Küste für einen frischen, hellen Windfang.

1

2

3

4

5

Als Wandfarbe oder Tapete unterhalb der Deckleisten nehmen Sie Kieselblaugrau (1), darüber tapezieren Sie ein klassisches Design in Perlgrau (2) und Rohseide (3). Halten Sie Holzwerk und Möbel ebenfalls in Rohseide.

Wünschen Sie Vorhänge oder Rollos, verwenden Sie einfarbige Seide oder Voile in Mauve (4). Möchten Sie keine, stellen Sie zwei Lampenschirme in Mauve auf.

Geben Sie dem Ganzen mit Schnittblumen in Kristallvasen einen heimeligen Touch. Wählen Sie eine frische Kontrastfarbe wie etwa helles Honiggelb (5).

Côte *d'Azur*

Von den Küstendörfern der südfranzösischen Provence inspiriert.

Träumen Sie sich in die hübschen weißen und sonnendurchfluteten Dörfer der Côte d'Azur. Sie sind von Lavendelfeldern umgeben und blicken auf das tiefblaue Meer. Diese Schönheit können Sie in einem Konzept für Ihr Wohn- oder Esszimmer nutzen.

1

2

3

4

5

Parisblau (1) ist die wiederkehrende Hauptfarbe bei Stoffen und Polstern mit Blumen-, Streifen- und Punktmustern oder in Uni. Streichen Sie eine Akzentwand so und die übrigen Wände und den Boden einfach in Kalkweiß (2).

Streichen Sie ein einzelnes Möbelstück, etwa einen alten Schrank, ein Regal oder eine Garderobe, in mattem Grau (3).

Um schöne Akzente zu setzen, nehmen Sie Weinrot (5) als Farbe für Accessoires, wie z.B. Lampenschirme oder Vasen. Dazu kommen frische Blumen in dunklem Oliv (4) und Weinrot.

Mediterraner *Windhauch*

Geben Sie Ihrem Raum eine kontinentale Anmutung und lassen Sie sich von der Lebendigkeit des Terrakotta und den Blautönen des Mittelmeers inspirieren. Die Farbkontraste dieses Konzepts passen außergewöhnlich gut zu einer großen Küche.

Ein kräftiger, lebhafter neuer Look für die Wohnküche.

1

2

3

Pastellfarbene Schränke schaffen eine gemütliche Atmosphäre: Streichen Sie die Schrankelemente in Paris- (1) und Himmelblau (2).

Kontrastieren Sie die Blautöne mit Wänden in Senfbraun (5) und rustikalen Holzarbeitsplatten in Sand (4).

4

5

Nehmen Sie einen hellen, gestreiften Stoff, der diese Farben vereint, für die Jalousien.

Stellen Sie im ganzen Raum echte mediterrane Küchenutensilien in Holz, Steingut und Terrakotta auf. Dazu passt vorzüglich ein rustikales Weinregal.

Wind*stilles Meer*

Verlockende Seefarben für ein prunkvolles Schlafzimmer.

Diese Wasserpalette aus leuchtenden Blau- und Grüntönen begleitet einen eklektischen Mix aus Mustern und Stoffen. Nehmen Sie dieses Konzept für das Schlafzimmer und träumen Sie sich auf einen sonnendurchfluteten Balkon über dem Meer.

1

2

3

4

5

Verführen Sie schieferblaue (1) Wände mit einem übergroßen Bettkopfteil in Meerblau (5). Nehmen Sie dafür einen sinnlichen Stoff – vielleicht bestickt oder verziert. Statten Sie den Raum mit in Kalkcreme (2) gestrichenen Möbeln aus und streichen Sie die Dielen in Treibholzbraun (3).

Für die Tagesdecke wählen Sie luxuriöses Tanggrün (4) und Meerblau (5), dazu Zierkissen in Tanggrün. Verwenden Sie hölzerne Jalousien oder für Vorhänge einfachen Voile in Kalkcreme. Es gehen auch bodenlange Stores aus Naturseide in Meerblau.

Verlockung *des Ostens*

Der Lotus wurzelt im Schlamm und wächst durchs Wasser empor, an der Oberfläche öffnet er seine schönen Blütenblätter. Nachts schließt er sich und sinkt unter Wasser, zur Morgendämmerung taucht er wieder auf. In der antiken ägyptischen Kunst symbolisiert er Schönheit und Reinheit.

Diese Lounge ist von den Farben der Lotusblüte inspiriert.

1

2

3

Ihre Lounge wirkt raffiniert, wenn Sie die Wände in Schieferblau (1) streichen und Teppiche in Dunstgrau (2) verlegen. Nehmen Sie Schlamm (3) für einfache Jalousien und als Hauptstoff für die Polster.

4

Beziehen Sie zwei Schemel oder kleine Stühle mit Lotus (4), legen Sie auf die Hauptsitzgruppe Kissen in den Farben Juwel (5), Dunstgrau, Schieferblau und Lotus.

5

Fügen Sie zwei Ethnoskulpturen oder -vasen an beiden Seiten des Kamins hinzu, die ein fernöstliches Ambiente schaffen.

Windgepeitschte *Dünen*

Das Außen nach innen mit Grasgrün und Sand.

Die Naturfarben des Meeres und der umliegenden Landschaft sind Bestandteil dieses Frühlingskonzepts. Die Palette ist einfach, dezent und zart, die reinen Farben lassen das Zimmer frisch erscheinen und funktionieren gut in einer hellen und luftigen Küche.

1

2

3

Beleben Sie Ihre Küche mit Wänden in Eisblau (1) und Düne (3) als Grundfarbe für die Küchenelemente und Möbel. Hellen Sie die Fenster mit einfachen Rollos in Sand (2) auf. Das verleiht den eisblauen Wänden Schwung.

4

5

Nehmen Sie einen alten Eichentisch samt Eichenbänken und legen Sie darauf Sitzpolster in einer Mischung aus Schilf- (4) und Bachgrün (5). Seien Sie beim Geschirr kreativ, erwecken Sie in den täglich benötigten Gebrauchsgegenständen Grün und Blau zum Leben.

Versteck *an der Küste*

Raffinierte Farben und Ideen für unzugängliche Stellen.

Neutralfarben erzeugen die Illusion von heller, luftiger Atmosphäre. Sie lassen auch kleine Räume groß wirken, trotzdem braucht es manchmal mehr. In einem Windfang oder Flur mit ungünstigem Grundriss kann diese spielerische Farbwahl einen gemütlichen Raum schaffen.

1

2

3

In alten Häusern muss man oft kreativ mit dem Platz umgehen. Beispielsweise sind die Flure oft groß, aber nicht geräumig genug, um als Zimmer oder Nutzraum zu dienen.

Nutzen Sie die Wände, indem Sie feste Sitzbänke daranstellen, unter denen Aufbewahrungskisten oder Schränke in Rosenweiß (2) vor einem Hintergrund in Eisblau (1) stehen. Legen Sie auf die Holzsitze hübsche Kissen in bräunlichem Rouge (3), Rumbutter (5) und Mitternachtsblau (4). Mischen Sie Blumenmuster, Streifen, bestickte und Uni-Stoffe.

4

5

Boote *im Hafen*

Ein fröhliches Konzept für ein Jungenzimmer.

Jungen lieben Boote, und dieses nautische Konzept passt perfekt zu dem Kinderzimmer eines Jungen. Arbeiten Sie mit waagerechten Streifen und streichen Sie die oberen 65 Prozent der Wände in Dämmerungsblau, die nächsten 20 Prozent in Königsblau, und die restlichen 15 Prozent in Wiesengrün (4).

1

2

3

Für einen echt nautischen Stil mischen Sie Holz- und rein weiß (3) gestrichene Möbel im Raum.

Finden Sie lustige, zum Stil passende Dinge, etwa bootsförmige Regale, eine Hängematte oder große Modellschiffe.

4

5

Streichen Sie den Boden in reinem Weiß und legen Sie Teppiche in Staubblau (1) und Tanggrün (5). Die Bettwäsche kann jede dieser Farben oder eine Kombination enthalten. Hängen Sie königsblaue (2) Jalousien an die Fenster mit rein weißen Stores aus Voile.

Wettergegerbte *Strandkörbe*

Diese gebleichten Pastellfarben passen nicht nur zu hübschen, süßen Mädchenzimmern. Richtig und zeitgemäß eingesetzt, machen Sie wirklich Eindruck und schaffen für jederman ein aufsehenerregendes Schlafzimmer oder alternativ eine schöne Lounge.

Eine Mischung perfekter Pastelltöne, die jedes Zimmer aufhellen.

1

2

3

Hängen Sie lange, granitgraue (5) Stores in schwerem Baumwollstoff oder Samt ans Fenster, die Wände sind in zartem Staubblau (1). Für die Polster verwenden Sie eine Kombination aus Silbercreme (2) und zartem Rosa (3).

4

Der Teppich, oder bei Bodendielen die Brücke, ist silbercremefarben oder puderblau (4).

5

Eine gewöhnliche Lampe mit dunklem Holzfuß und einem silbercremefarbenen Schirm steht neben den staubblauen Wänden. Eine große puderblaue Vase oder ein Glasornament runden den Raum ab.

Farbenprächtige *Nostalgie*

Eine Explosion aus Urlaubsfarben der 1950er.

Schnappen Sie sich einen Mai Tai und versetzen Sie sich mit einem Farbkonzept, das Glück und Freude ausstrahlt, in die Tropen. Die fröhlichen Akzente dieser Palette funktionieren mit ruhigem Ozeanblau besonders gut. Richtig eingesetzt, füllen Sie Ihren Raum mit Leben.

1

2

3

Helles Ozeanblau (1) ist ein schöner, frischer Hintergrund für diese aufregenden Rosa- und Blautöne. Erden Sie die kräftigen Farben mit einem Sandton (4), der mit dem Teppich auf den Boden kommt, und wählen Sie einfache Möbel mit kitschigen Mustern in einer Mischung aus Hawaiiblau (2), Marine (3) und Sand.

4

5

Fügen Sie Sitzkissen mit Muster oder uni in Marine und Pink (5) hinzu. Graben Sie Retro-Lampen und ungewöhnliche Drucke aus den 1950ern aus – das rundet das Konzept ab.

Einsamer *Strand*

Eine natürliche Palette für Ihr eigenes Strandparadies.

Dieses Schlafzimmerkonzept erinnert an Bilder eines Sonnenuntergangs im Winter über dem Meer. Die frischen, hellen Neutralfarben des Strandes sind kombiniert mit den tiefsten Blautönen des Meeres. Das reiche Braun der afrikanischen Walnuss fängt das Wesen der Küste ein, wo immer Sie auch leben.

1

2

3

Um Ihr Zuhause in ein Strandparadies zu verwandeln, sammeln Sie Naturobjekte wie Muscheln, Steine, Treibholz und alte Kisten.

Kontrastieren Sie Möbel in Afrikanischer Walnuss (5) mit Wänden in hellem Ozeanblau (1).

4

Finden Sie nautische Stoffe mit Streifen und natürlichen Linien in Muschelrosé (2), lichtem Grau (3) und Tintenblau (4), benutzen Sie diese für Kissenbezüge und Stuhlhussen.

5

Lassen Sie alles zünftig aussehen, um so das Konzept abzurunden.

Klassische Flora

Diese Farbkompositionen wurden
von der Schönheit der Pflanzen beeinflusst.
Ziehen Sie Ihre Inspiration aus den Farben der
schönsten Blumen der Welt: Veilchen, Lavendel,
Iris und Wistera. Violetttöne sind kreativ und
ausdrucksvoll, sie sind sinnlich, anregend und
emotional. Schließen Sie die Augen und stellen Sie
sich die weiche, seidige Textur einer Blüte vor.
Wenden Sie dieses zarte Bild in Ihrem Farbkonzept an und bei den Stoffen,
die Sie einsetzen.

Schönheit *des Amazonas*

Farbnuancen von Blau-Violett schaffen ein behagliches Schlafzimmer.

Der hügelige Vegetationsteppich des Amazonasgebiets, von großen Wasserläufen durchzogen, ist eine der vielfältigsten und unerforschtesten Naturregionen der Erde. Dieses Farbkonzept ist vom Geheimnis dieser großartigen Landschaft inspiriert.

1

2

3

4

5

Beweisen Sie Mut mit einer sehr dunklen Brombeernuance (1) an den Wänden, die von einer Deckleiste in lichtem Grau (2) betont werden und einer matt lackierten Deckenleiste. Beziehen Sie ein übergroßes Bettkopfteil in lichtem Grau mit einem glänzenden Stoff wie Samt oder Seide.

Sie erzielen eine flirrende Farbexplosion mit Vorhängen in Violett (4). Lassen Sie das Gewicht der Farbe wirken und verwässern Sie es nicht. Beziehen Sie einen Stuhl in Amazonasblau (5) mit einem glänzenden Stoff. Fügen Sie graue (3) Accessoires hinzu – das sieht elegant aus.

Versteck *am See*

Dieses Konzept ruft das Bild einer im Wald versteckten Hütte hervor, die an einem dunklen See steht. Ein dunkles Konzept wie dieses passt perfekt zu einem Esszimmer, das hauptsächlich abends genutzt wird, und ermöglicht es, viele leuchtende Akzentfarben hinzuzufügen.

Schöne Sammlung von Waldfarben, um trefflich zu speisen.

1

2

3

4

5

Streichen Sie die Blickwand – also die Wand ohne Fenster oder Tür – in rosigem Grau (5), die übrigen in Brombeere (1). Als Schmuck kommen Kunstwerke in dunkler Brombeere und Stachelbeere (3) an die Blickwand.

Polstern Sie die Essstühle in sattem Moosgrün (4) mit Rändern in Farngrün (2). Greifen Sie diese Grüntöne bei den Accessoires auf, etwa bei Läufern, Glasobjekten und Kerzenständern.

Rosiges Grau ist eine tolle Farbe für Accessoires – mit den Naturtönen dieser Palette kombiniert, ergibt es einen fantastischen Gesamteindruck.

Stiefmütterchen *im Winter*

Peppen Sie ein dunkles Zimmer mit Stiefmütterchenfarben auf.

Stiefmütterchen werden oft übersehen, aber ihre weißen, rosafarbenen, blauen oder violetten Blütenblätter leuchten selbst an trüben Tagen und bringen Freude und Farbe in graue Wintertage. Lassen Sie sich von diesen Blumen inspirieren und beleben Sie einen dunklen, langweiligen Raum.

Bringen Sie kräftige Sonnenscheinfarben ins Kinderzimmer, indem Sie die Wände abwechselnd in Krokus (4) und kräftigem Orange (5) streichen. Das hebt sich super von einem kräftigen, dunkelvioletten (1) Kautschukboden ab, der sich weich anfühlt und praktisch ist.

In eine Raumecke hängen Sie eine dunkelviolette, blassviolette (3) oder limonencremefarbene (2) Hängematte.

Komplettiert wird das durch einen runden Teppich in Krokus und kräftigem Orange sowie mit in Limonencreme gestrichenen Möbeln.

Glockenblumen*wälder*

Frühling steht für Leben und Neubeginn, und es gibt kein deutlicheres Zeichen dafür als einen mit Glockenblumen überzogenen Waldboden. Die Woge aus Blau-Violett, die an grüne Graskanten brandet, unterbrochen von dunkler Baumrinde, lässt sich in ein umwerfendes Raumkonzept übertragen.

Eine Frühlingspalette, die jedes Arbeitszimmer verwandelt.

Streichen Sie die Wände in Dunkelviolett (1) und wählen Sie einen Teppich in Rindengrau (3). Dazu ein viktorianischer Schreibtisch in warmer Eichen- oder Mahagoniausführung und ein alter, mit laubgrünem (4) Leder gepolsterter Stuhl.

Bei Rollos und Vorhängen bleiben Sie bei einem kultivierten Stil. Wählen Sie einen maskulinen Stoff: einfach gewebt oder kariert in Rindengrau und Lavendelblau (5).

Stellen Sie noch ein Glasobjekt oder eine große Keramikskulptur in Glockenblumenblau (2) in die Mitte.

Wiedergeburt *der Natur*

Eine ungewöhnliche Farbgruppe mit einem frischen Look.

Diese Farben sind zwar alle leuchtend und modern, sie entstammen aber der Natur. Das Konzept passt perfekt zu einem Strandhaus oder einem Cottage an der Küste und fördert Ruhe und Entspannung, wo immer es eingesetzt wird.

1

2

3

Streichen Sie den Boden in reinem Weiß (2), die Wände in Königsblau (1). Sie können wahllos Streifen und Sterne in reinem Weiß hinzufügen.

4

5

Stellen Sie bequeme Sofas in königsblauem Jeansstoff, dazu antike Möbelstücke in dunklem Erdbraun (5). Sie passen gut zu den Blau- und Weißtönen.

Brechen Sie das hoheitsvolle Konzept dann mit Kissen, Decken und Nippes in Pfirsichrosa (3) und Pink (4) als Accessoires auf.

Kräuter*garten*

Frische Kräuter schmecken nicht nur fantastisch und riechen wunderbar, sie weisen auch eine große Bandbreite an Farbe und Textur auf, die diese Farbgruppe inspiriert haben.

Herein mit der üppigen Gartenfülle in Ihr Schlafzimmer.

1

2

3

Königsblau (1), wie bei den Blättern des blauen Basilikums, wird zur Hauptfarbe Ihres echt organischen Schlafzimmers. Gleichen Sie das Blau mit sanftem Puderrosa (2) aus, etwa mit einem gepolsterten Bettkopfteil, einem Teppich oder als Bodenfarbe.

4

Umrahmen Sie die Fenster mit Stores in Purpur (4) und fügen Sie dekadente Quasten oder Kordelgriffe aus Kristallglas in Puderrosa hinzu. Ein Stapel Kissen in Minzblau (5) mit Rändern in Senfgelb (3) und Purpur türmt sich auf dem Bett.

5

Frisch, *hell und erhebend*

Diese Mischung aus kalten und warmen Tönen erzeugt ungewöhnliche Effekte.

Manchmal müssen Sie in Ihrer Designwahl mutig sein. Sind Sie bereit für einen Wandel? Dann testen Sie doch diese belebende Palette. Sie passt besonders gut für offene Wohnräume oder einen Arbeitsplatz – ein Studio etwa oder ein Loft.

1

2

3

4

5

Streichen Sie den Großteil der Wände in dunklem Heidelbeere (1), aber einige auch in Lichtgrau (2). Nehmen Sie dunkles Heidelbeere für Schlüsselelemente im Raum, z.B. für glänzende Küchenteile, dazu eine Arbeitsplatte in Lichtgrau mit Barhockern in Aquaweiß (3).

Grenzen Sie mit einem Teppich in Zitrustönen (4, 5) den Wohn- oder Arbeitsbereich ab, stellen Sie Sofas in dunklem Heidelbeere hinein.

Wählen Sie Einzelobjekte in leuchtenden Farben, wie etwa einen Schemel in Aquaweiß oder eine Bodenvase in Zitrusorange (4).

Hübsche *Pastelltöne*

Pastelltöne müssen nicht langweilig oder für ein Mädchenzimmer sein – sie sollten nur richtig eingesetzt werden. Diese Farben harmonieren mit Naturstoffen und Holz, passen aber nicht zu Metall oder Hochglanzoberflächen.

Wählen Sie zarte Pastelltöne für ein privates Refugium.

Komplettieren Sie die Wände in dunklem Heidelbeere (1) in einer netten Lounge mit Sitzpolstern aus Baumwolle. Stellen Sie weiche Sofas in Salbeigrün (5). Dazu Strickkissen und Decken in Rosagrau (4) und Ritterspornblau (3) mit perlblauen (2) Knöpfen.

Verwenden Sie einen Mix aus Naturhölzern für leicht abgewohnte Möbel: Alles muss sich organisch anfühlen. Streichen Sie Bilderrahmen in Ritterspornblau und Rosagrau – die sehen auf den heidelbeerfarbenen Wänden großartig aus.

Trüffel*jagd*

Das samtige Graubraun von Trüffeln passt perfekt zu Violett.

Trüffel sind sehr teure Pilze, die in den Wäldern Italiens und Frankreichs unter Eichen und Kastanien wachsen. Sie sind berühmt für ihren Geschmack und ihre angeblich aphrodisische Wirkung; ihre Farbe hat dieses Konzept inspiriert.

1

2

3

4

5

In größeren Wohnzimmern streichen Sie die Hauptwände in Iris (1). Hat der Raum einen hölzernen Kaminvorbau, streichen Sie ihn in einem Steinton (3), was wunderbar zu Iris passt. Muss der Kamin neu gebaut oder ersetzt werden, wählen Sie ein einfaches Design in Naturstein.

Der Teppich ist in sattem, samtenem Trüffelbraun (2) gehalten, er sollte flauschig sein, luxuriös aussehen und sich weich anfühlen.

Dazu stellen Sie Polstermöbel in Flechte (4) und Granitblau (5) und Accessoires in Iris und Trüffelbraun.

Violette *Überraschung*

Das Wort Violett erinnert an Veilchen. Die Farbe dieser Blumen ist ein Purpurton, eine Mischung aus Blau und Rot, und sie bildet die Farbgrundlage dieser Palette. Das Veilchen-Konzept passt überall, besonders gut aber in einer Küche.

Hübsches Violett, das sich super für eine Küche eignet.

1

2

3

Iris (1) ist die Hauptfarbe der Wände. Spielen Sie damit, indem Sie die Küchenelemente in Violettweiß (2) und einem dunklem Steinton (3) halten. Nehmen Sie von der einen Farbe mehr als von der anderen, damit es nicht zu gleichförmig wirkt. Indigo (5) ist die Farbe der Arbeitsplatten in der gesamten Küche.

4

5

Runden Sie mit blauvioletten (4) Küchenstühlen ab, die flippig und lustig aussehen. Accessoires sind Töpfe entweder in Violettweiß oder dem dunklem Steinton, dazu schönes Geschirr in einer dieser Farben oder in jeder davon.

Am *Bach*

Wohin passt Wasser besser als ins Badezimmer?

Wasser hat bestimmte Eigenschaften. Es ist die Grundlage allen Lebens und ein mannigfaltiges religiöses Symbol. Kunst beschäftigt sich damit. Seine beruhigenden und besinnlichen Qualitäten in ein Interieur zu bringen ist ein wichtiger Aspekt der alten Kunst des Feng Shui.

1

2

3

Indem Sie einfach die Farbtöne des Wassers imitieren, wirkt Ihre Wohnung beruhigend und zugleich besänftigend.

Streichen Sie Glockenblumenblau (1) auf die Wände und auf jedes Holzpaneel. Wählen Sie schöne Naturstein- oder Travertin-Bodenfliesen in rötlichem Stein (4) und Ton (5); alternativ können Sie auch den Boden in einem rötlichem Steinton streichen.

4

5

Dazu kommen Handtücher und Accessoires in Metallicblau (2) und Amazonasblau (3).

Sommer*felder*

Stellen Sie sich einen sonnigen Sonntagnachmittag vor: Sie wandern durch die Felder und saugen den schweren Duft des Sommers auf. Um die Erinnerungen an diese Zeit in Ihr Heim zu holen, versuchen Sie es einmal mit diesem Konzept für Ihr Wohnzimmer oder eine förmlichere Lounge.

Eine Auswahl an Sommerfarben für die Lounge.

1

2

3

Streichen oder tapezieren Sie die Wände in Glockenblumenblau (1) und streichen Sie die Innenseite des Kamins, eines Schrankes oder eines großen Möbelstücks in Puderblau (4). Polstern Sie Sofas in Apfelweiß (2) und Seegrün (5), nehmen Sie einen gestreiften Stoff oder einen mit unauffälligem Muster, das beide Farben enthält.

4

5

Die Vorhänge an den Fenstern sind in Maisgelb (3) mit einer Bodenkante in Seegrün.

Greifen Sie bei den Accessoires, Kissen und Kunstobjekten all diese Farben auf.

In *voller Blüte*

Ein frisches, duftendes, florales Konzept fürs Wohnzimmer.

Farbe und Schönheit von Blumen haben Künstler und Designer schon immer inspiriert. Das Wesen der Blumen – ihre Form, Textur und Farbe – werden seit Jahrhunderten dargestellt. Dennoch ist es schwer, ihren Duft und ihre Frische einzufangen.

1

2

3

Fangen Sie die Essenz der Blumen in Ihrem Innendesign. Zartes Kornblume (1) ist ein kaltes Blau mit grauen Untertönen und passt zu einer Lounge oder einem Wohnzimmer.

4

5

Ein warmer, natürlicher Eichenboden passt gut zu Wänden in Kornblume. Alternativ geht auch Leinenbraun (3) als Teppich oder Bodenbelag. Nehmen Sie Lilienrosa (2) für traditionelle Polster, zudem einen Stuhl oder Schemel in Rotbraun (5).

Dazu Vorhänge oder Jalousien in schwerem Webstoff in dunklem Kornblumenblau (4) und Leinenbraun.

Erd*töne*

In diesem Buch finden Sie mehrere Konzepte, die auf der Natur und der Umwelt beruhen. Auch bei dieser Farbgruppe verhält es sich so. Wenn Sie die warmen, erdigen Neutralfarben mit kühlerer, kontrastierender Kornblume mischen, erhalten Sie ein freundliches und entspanntes Konzept.

Dieses Konzept spiegelt die natürliche Erde um uns herum.

1

2

3

Setzen Sie dieses Konzept im Flur ein – ein moderner, umwerfender Look.

Der Teppich im Flur und auf den Stufen ist in Kornblumenblau (1). Die Treppe und oberhalb der Deckleiste in hellem Sand (2) streichen, darunter in Kornblume – das sieht besonders gut aus, wenn die Wände Holzpaneele haben.

4

5

Polstern Sie Stühle am Fenster mit Leder in hellem (4) oder weichem, erdigen Braun (5). Komplettieren Sie den Look mit einer Auswahl an Stoffen und Accessoires in Kaki (3), Kornblumenblau und hellem Sand.

Der verborgene *Garten*

Verlieben Sie sich in dieses verträumte Blumenbouquet.

Blumen erfreuen jeden, ob im Garten angepflanzt, wild auf Wiesen und Weiden wachsend oder in einer Vase. Wie der Duft frisch gepflückter Blumen passen diese wunderschönen, von Blumen inspirierten Farben ideal zum Schlafzimmer.

1

2

3

4

5

Streichen oder tapezieren Sie die Wände in Hyazinth (1), den Teppich nehmen Sie in derselben Farbe. Das erzeugt eine träumerische Atmosphäre, kuschelig und feminin. Wenn Sie eine Wand betonen möchten, wählen Sie Tapete mit einem Hauch von Steingrün (2) und dunklerem Rindengrün (5).

Ganz mädchenhaft wird es mit Vorhängen in Rosé (3) und Hyazinth mit einem feinen Blumenmuster, oder neutraler in Rindengrün (5) und Stachelbeere (4). Das Polster sollte zum Vorhang passen, ist der Stoff allerdings flauschig, nehmen Sie nur einen Unistoff für den Bezug.

Süße *Träume*

Denken Sie an weiche, duftende, filigrane Blumen, an die seidene Textur eines Rosenblütenblatts und wie es sich anfühlt – erzeugen Sie dieses Gefühl mit Stoffen. Die Weichheit und Weiblichkeit dieses Konzepts eignet sich für ein Mädchenzimmer.

Ein Blumenkonzept, ideal für ein Klein-Mädchen-Zimmer.

1

2

3

Streichen Sie die Wände in Hyazinth (1), bis auf eine, auf der Sie ein einfaches Wandbild mit Herzen, Punkten und Sternen in Flieder (2), sattem Creme (3) und Hyazinth aufmalen.

Der Teppich wird karamellfarben (4), oder streichen Sie als hellere Alternative den Boden in sattem Creme.

4

5

Streichen Sie die Möbel in sattem Creme, die Griffe in knalligem Flieder. Wählen Sie schlichte Baumwollstoffe in Latte (5) und Karamell (4) für das Bett, dazu Zierkissen in Flieder und Hyazinth.

Wandel *der Jahreszeiten*

Eine Palette der sich wandelnden Herbstfarben.

Weil die Blätter im Laufe des Jahres ihre Farben verändern, lässt sich aus dem Laub von Bäumen eine unendliche Zahl von Farbwechseln und -kombinationen ableiten. Kombinieren Sie in einer schönen Lounge oder im Wohnbereich die Wärme der Herbstfarben mit kühleren Grautönen.

1

2

3

Bringen Sie durch ein Sofa mit Streifen in Rot (3) und Eiche (5) einen Energie- und Wärmeschub in eine gemütliche Lounge, deren Wände orchideenweiß (1) sind.

4

Beziehen Sie einen Sessel mit Chenille oder luxuriösem Samt in gedecktem Orange (4).

5

Nehmen Sie einen natürlichen Bodenbelag oder einen Teppich in Rauchgrau (2).

Dazu sollten viele Kunstobjekte und eine Auswahl an roten Accessoires kommen.

Eleganter *viktorianischer Traum*

Reiche, klassische Farben für traditionellen Glanz.

Gemeinhin gelten viktorianische Farben als dunkel und gedeckt, sie eignen sich aber hervorragend für große, formelle Räume. Kombinieren Sie Neutralfarben mit dunklen, kräftigen Akzenten – das ist traditionell und bringt einen Hauch Grandesse in Ihr Wohn- oder Ihr Esszimmer.

1

2

3

Streichen Sie die Wände in Regency-Grün (2). Betonen Sie diese dunkle, klassische Farbe, indem Sie Deckleiste, Bildleiste, Deckenleiste und das ganze Holzwerk in Orchideenweiß (1) halten.

4

Kontrastieren Sie die orchideenweißen Bodendielen mit Möbeln in dunklem Walnuss (5). Beziehen Sie Stuhlkissen, Stühle und das Sofa mit prachvollem Samt in Biskuit (4).

5

Stellen Sie hohe Glaslampen mit großen Seidenschirmen in roséfarbenem Pfirsich (3) auf ein Regal oder eine Konsole am Tisch.

Zurück zur Natur

Baden Sie in heilsamem Grün. Die beruhigenden, belebenden und stimulierenden Grüntöne bringen die Außenwelt in Ihr Zuhause. In diesem Kapitel stehen die Farben der natürlichen Landschaft im Mittelpunkt. Schauen Sie einfach aus dem Fenster. Lassen Sie sich von Ihrer Umgebung inspirieren und beflügeln – die herbstlichen Farben der fallenden Blätter vor den Schatten von Silberbirken, verborgene Lichtungen im Wald, stille Seen und klare Himmel.

Üppige *Mangroven*

Machen Sie den Wintergarten eins mit dem Garten.

Die Farben der Natur sind eine unglaubliche Inspirationsquelle, die wir nutzen sollten. In dieser Palette liegt das Hauptaugenmerk auf Grün, der Farbe des Lebens und des Wachstums. Es holt Ihnen die Frische der Welt nach innen, besonders in einen Wintergarten.

1

2

3

Streichen Sie die Wände im Wintergarten oder im Sommerhaus in ruhigem Sand (3), greifen Sie es außen auf und streichen Sie eine Außenwand in derselben Farbe.

4

Spiegeln Sie das Grün der Vegetation draußen mit Möbeln in Seetang (1), die Stoffe halten Sie in Laub- (4) und Erdgrün (5).

5

Führen Sie die pralinenfarbenen (2) Bodendielen durch den Wintergarten hinaus auf die überdachte Terrasse und schaffen Sie so das perfekte Ambiente für ein Gläschen Wein mit Ihren Freunden.

Sommer*wiese*

Auf einer Naturwiese sind die ganz gewöhnlichen, aber wunderschönen Blumen und Pflanzen, die Farbtupfer ins Grün bringen, ein Augenschmaus. Unregelmäßige Muster, Farbvariationen und himmlische Düfte ergeben die perfekte Inspiration.

Ein eklektischer Mix aus Wiesenfarben fürs Schlafzimmer.

1

2

3

4

5

Um diesen Sommermix im Schlafzimmer nachzubilden, streichen Sie die Hauptwand hinter einem traditionellen Eisenbett in Seetang (1), zwei Nachttische im Shaker-Stil in Alpenweiß (2) und die übrigen Wände in derselben Farbe. Das bildet einen Kontrast zum dunklen Seetang.

Kaufen Sie farbenprächtige Patchwork-Quilts und Kuscheldecken in Maulbeere (5), gedecktem Mauve (4) und Grün (3) sowie mehrere Kissen in jeder dieser Akzentfarben. Stellen Sie Vasen mit Wildblumen auf die Nachttische.

Pracht *der Natur*

In einem formellen Esszimmer herrscht Ordnung und Symmetrie.

Diese Palette nutzt die Farbtöne des Waldes. Diese dunklen Grün- und kräftigen Brauntöne eignen sich für formelle Räume – etwa für Speise- oder Empfangszimmer. Um Eindruck zu machen, braucht es Möbel und Stoffe in hoher Qualität und eine ausgefeilte Dekoration.

1

2

3

Beleuchtung ist wichtig für ein gutes Essen: Man möchte nicht geblendet werden, aber doch sehen, was man isst.

4

5

Streichen Sie die Wände in kräftigem Salbeigrün (1) und fügen Sie Paare von modernen Wandleuchten mit Holzfüßen in Kastanienbraun (3) und gelbcremefarbenen (4) Schirmen hinzu. Stellen Sie nur die nötigsten Möbel, etwa einen großen Tisch und ein Regal in kastanienfarbenem Holz. Polstern Sie die Stühle in einem warmen Steinton (5). Vorhänge mit bodenlangen Stores in Kitt (2).

Unerforschte *Landschaft*

Große Räume einzurichten ist einfach. Für kleinere Räume braucht es gründliche Überlegung, wenn es um Farbe und Platz geht. Wählen Sie ruhige Grau- und Blau-Grün-Töne für das Home-Office. Kleine Räume sollten aufgeräumt sein, alles Sichtbare muss hübsch und attraktiv sein.

Setzen Sie in kleinen Räumen Konzepte mit sanften Tönen ein.

1

2

3

4

5

Salbeigrün (1) ist die Hauptfarbe des Raums, alle Polster und frei stehenden Möbel sind in dieser Farbe. Sie stehen vor winterweißen (4) Wänden und auf einem zartblauen (2) Teppich. Damit alles luftig und hell wirkt, streichen Sie auch die Regale winterweiß.

Am Fenster bringen Sie Holzläden oder einfache Rollläden in Gröngrau (3) an. Nehmen Sie warmes Grau (5) und Salbeigrün für die Schränke, Aufbewahrungsboxen und Aktenordner.

Silber*birke*

Kalte, kultivierte Farben für einen klassischen Salon.

Nutzen Sie eine kühle, ruhige und gefasste Palette, heben Sie Aschgrau durch das Hinzufügen von Eisblau und Taubengrau, kombinieren Sie all das dann mit grünen Akzenten. Diese wunderschönen, zeitlosen Farben passen zu traditionellen und modernen Räumen.

1

2

3

4

5

Mit Bedacht eingesetzt, passt dieses Konzept zu jedem Raum. Dramatisch wirken Aschgrau (1) und Wiesengrün (5) als Hauptwandfarben. Zarter noch sind fast nicht sichtbares Eisblau (2) und Taubengrau (3). Taubengrau eignet sich in diesem Konzept auch sehr als Teppich- oder Bodenfarbe.

Beziehen Sie ein altes Sofa oder einen Stuhl neu mit Samt in Moosgrün (4). Das sieht opulent aus. Die übrigen Farben kommen bei Kissen, Vorhängen und bei anderen Akzenten vor.

Sonnendurchfluteter *Obsthain*

Ein frisches Konzept, vom Leben auf dem Lande inspiriert.

Stellen Sie sich die Sonne vor, wie sie auf einen Apfelhain oder eine Zitrusplantage flutet, oder einen großen Bastkorb mit reifen, frisch geernteten Früchten. Diese Palette bezieht sich auf solch eine ländliche Szene und passt perfekt zu einer Küche in einem umgebauten Bauernhof.

1

2

3

Im Mittelpunkt Ihrer rustikalen Wohnküche steht ein wunderbarer Herd – idealerweise in hellem Apfelgrün (2).

Streichen Sie die Zimmerwände in Aschgrau (1), besorgen Sie dann Fliesen in Nuancen von Aschgrau und Minzweiß (3).

4

Bei den Küchenelementen mischen Sie warmes Eiche mit goldenen (4) und strohfarbenen (5), handbemalten Regalen im Country-Look.

5

Als Accessoires dienen ähnlich rustikale Kochtöpfe.

Glitzerndes *Licht*

Ungewöhnlich dunkle Farben mit hellen Glanzlichterblitzen.

Die Wirkung von Licht auf Wasser hat dieses Konzept grundlegend inspiriert. Frischen Sie eine kanalgrüne Basis durch eine Kombination aus hellen und dunklen Akzenten auf. Das ergibt ein großzügiges Schlafzimmer mit echtem 1930er Glamour.

1

2

3

4

5

Werfen Sie mit gläsernen Tischlampen und geometrischen Spiegeln Licht auf die kanalgrünen (1) Wände. Beziehen Sie ein übergroßes Bettkopfteil mit Seide in Himbeere (4), die Knöpfe und Ränder in dunklem Schokobraun (5). Dazu Wandleuchten in dieser Nuance.

Stellen Sie dann eine Chaiselongue unter ein Fenster, die mit einem Devoré-Druck aus Himbeere und Eichelgrün (3) bezogen ist, mit Füßen in dunklem Schokobraun.

Der Teppich in Elfenbein (2) gleicht die dunklen Farben aus. Accessoires sind Art-déco-Skulpturen.

Dämmerungs*melodie*

Das ungewöhnliche Zwielicht ist bei Malern und Fotografen immer schon beliebt gewesen. Sie sprechen von der „blauen Stunde". Wenn die Nacht naht, erzeugen die Farben des Zwielichts eine Atmosphäre, die das hektische Großstadtleben vergessen lässt.

Geheimnisvolle, gedeckte Farben für ein beruhigendes Ambiente.

1

2

3

Nehmen Sie die Farbnuancen des Abendhimmels (2) für die Hauptwand; seine Grau- und Rosatöne erzeugen eine geheimnisvolle Atmosphäre. Die übrigen Wände in Kanalgrün (1) halten, die Vorhänge in einem helleren Ton dieser Farbe mit einem Hauch dunklen Blau-Grüns (4).

4

Dielen in sattem Muskat (3); idealerweise sehen sie schon etwas abgenutzt aus.

5

Elegante, doch gemütliche Sofas in Kanalgrün beziehen, mit Kissen in Minzgrün (5) und dunklem Blau-Grün luftiger machen. Entzünden Sie den Kamin und viele Kerzen und entspannen Sie.

Natur*stein*

Warme, tonale Grün- und Cremetöne fürs Kinderzimmer.

Wilde und grelle Farben will man nicht unbedingt im Kinderzimmer – es ist erholsamer, wenn der Raum einladend und beruhigend gestaltet ist. Kinderzimmer sollten trotzdem peppig und interessant sein, mit Dekor, der die Fantasie anregt.

1

2

3

4

5

Nehmen Sie einen warmen Steinton (1) als Wandfarbe und Sand (2) für einen strapazierfähigen Teppich. In eine Nische kommen blassgelb (3) gestrichene Regale.

Stellen Sie Bücher auf die Regale und kleben Sie Reihen aus Muscheln, Kastanien und Eicheln auf Kistenrahmen, um Kunstwerke aus der Natur zu erschaffen, die pfiffig und stylisch wirken.

Verwenden Sie Blassgelb für die Schlafzimmermöbel mit Griffen in Laubgrün (4), dazu einen witzigen, in Seegrün (5) und Blassgelb gestreiften Teppich.

Schöne *Antiquitäten*

Wenn Sie auf Ihren Reisen Möbel oder Kunstgegenstände sammeln, können Sie sie aufgelockert stellen. Sie wollen ja nicht im Museum wohnen! Der Trick ist, Objekte von ähnlicher Farbe oder vergleichbarem Typ zusammenzustellen und den Dekor im Raum knapp und neutral zu halten.

Ein Konzept, das im Laufe der Zeit immer schöner wird.

1

2

3

4

5

Der warme Steinton (1) ist eine großartige Neutralfarbe, die in jedem Raum eingesetzt werden kann. Hier streichen Sie damit die Wände.

Der pudrige Rosenton (2) ist ungewöhnlich, er verleiht dem Polster auf einem alten Stuhl einen frischen Look. Er passt auch außergewöhnlich gut zu gedecktem Orange (3), einer klassischen Farbe für Stores.

Nehmen Sie den Steinton, Avocado- (4) und Schwarz-Grün (5) als Farben für weitere Polster. Zum Schluss kommen Accessoires in jeder dieser Farben oder in einer Kombination aller.

Reicher *Herbst*

Bringt die warmen Farben des Herbstes in Ihr Wohnzimmer.

Die Ocker- und verschiedenen Brauntöne des Herbstlaubs haben diese Palette inspiriert. Diese vollen Farbtöne sind ideal für ein warmes und gemütliches Esszimmer, funktionieren aber ebenso gut in einer gemütlichen Lounge oder im Wohnbereich.

1

2

3

4

5

Als Basis streichen Sie die Wände in natürlichem Kalkweiß (1), die Hauptwand gegenüber dem Hauptfenster in Mohnrot (5).

Stellen Sie einen Konsolentisch in Kakaobohnenbraun (3) vor die mohnfarbene Wand, dazu zwei Lampen mit Schirmen in Zimt (2). Das spiegeln Sie im Esstisch mit einer kakaobohnenfarbenen Oberfläche sowie einem Läufer, der Kakigrün (4) und Zimt kombiniert.

Halten Sie die Stuhlpolster in Zimt, um das Ensemble zu vervollständigen.

Frisch *und einladend*

Schneebedeckte Landschaften, stahlgraue Winterhimmel und Schneeglöckchen, die im Frühling aus der Erde spitzeln – lassen Sie sich von der kalten und stillen Jahreszeit inspirieren, in der die Hoffnung wieder aufkeimt und wir der Wärme des Sommers entgegensehen.

Entspannte Farben für einen einladenden Windfang.

1

2

3

Fliesen Sie den zur Küche oder Esszimmer führenden Flur in natürlichem Kalkweiß (1).

Versehen Sie die Flurwände mit Holzpaneelen und streichen Sie diese ebenfalls kalkweiß, so dass alles nahtlos ineinanderübergeht. Streichen Sie die Wände oberhalb in Nebelrosa (2).

4

5

Umrahmen Sie mit zwei Schirmständern aus Keramik oder Bodenvasen in Eisblau (3), roséfarbenem Taupe (4) oder zartem Apfelgrün (5) den Flureingang – das wirkt einladend.

Almwiese

Setzen Sie die zarten Farben der Natur im Schlafzimmer ein.

Auf diese Farbe treffen Sie beim Wandern, aber ihre stille Schönheit passt ebenso gut zu einem modernen Appartement. Als kraftspendende Farbe eignet sich Steinbraun in Verbindung mit dem beruhigenden Marmorton für Schlafräume.

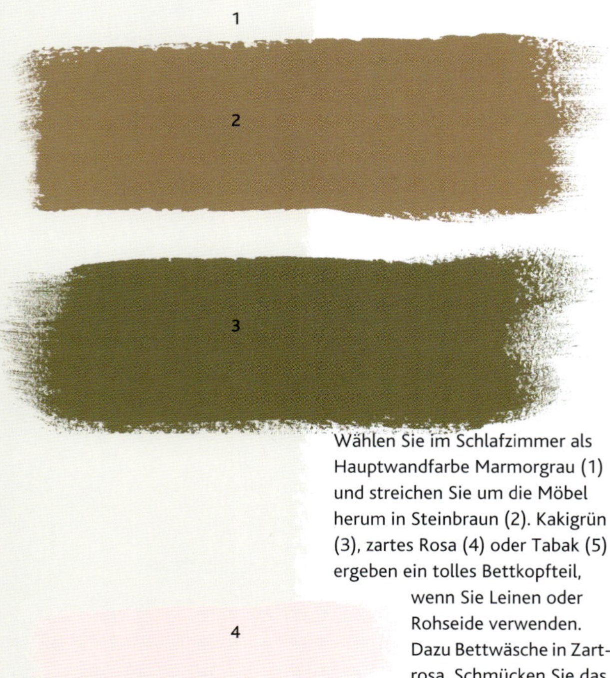

Wählen Sie im Schlafzimmer als Hauptwandfarbe Marmorgrau (1) und streichen Sie um die Möbel herum in Steinbraun (2). Kakigrün (3), zartes Rosa (4) oder Tabak (5) ergeben ein tolles Bettkopfteil, wenn Sie Leinen oder Rohseide verwenden. Dazu Bettwäsche in Zartrosa. Schmücken Sie das Bett mit Kissen im gleichen Ton wie das Kopfteil.

Dieses Konzept passt auch gut zu einer modernen offenen Küche oder einem Wohnbereich. In der Küche halten Sie die Arbeitsfläche in Tabak und die Elemente in Zartrosa und Steinbraun.

Nebel*morgen*

Warme und kühle Neutralfarben im stilvollen Wohnzimmer.

Dieses Konzept ist von einem Spaziergang am frühen Morgen inspiriert. Wenn das Sonnenlicht durch den Nebel bricht, wird die Landschaft klar und scharf. Setzen Sie dieses helle, frische Konzept in einem Raum ein, der dann elegant und anmutig wird.

Ein Konzept zu benutzen, das warme und kalte Neutralfarben in einem Raum schichtet, hilft Ihnen, Hell und Dunkel zu überwinden. Nehmen Sie nicht eindeutiges Marmorgrau (1) als fröhliche Basisneutralfarbe für den Wohnbereich und verbinden Sie es mit dem dunkelsten Akzent der Gruppe – Steingrau (3) – auf dem Boden. Dazu stellen Sie moderne Ledersofas in Taupe (2) und große Bodenkissen in Glockenblumengrau (5) rund um den großen Kaffeetisch.

4

5

Nehmen Sie ein helleres Grau (4) für die bodenlangen Stores und Accessoires in jeder dieser Akzentfarben.

Farn *und Moos*

Entspannen mit diesem Spektrum an Blattfarben.

Grün bedeutet Kraft und Natur. Es beruhigt und gleicht aus. Sie sollten die Farbe dort einsetzen, wo Sie sich ausruhen möchten. Wenn Sie ein großes Bad haben, können Sie mit diesem entspannenden Farbton ein perfektes Rückzugsgebiet schaffen.

1

2

3

4

5

Verwenden Sie einen hellen Steinton (1) als Farbe für die Wand- und Bodenfliesen. Streichen Sie die restlichen Wandflächen in Laubgrün (2) und nehmen Sie dunkles Waldgrün (5) und weitere Grüntöne für die Handtücher und Accessoires im Badezimmer.

Streichen Sie die Außenfläche einer auf Füßen stehenden Wanne in einem dezenten Holzton (3) und die Armaturen in sauberem, reinem Weiß (4).

Eiche natur passt auch gut zu diesen Tönen, falls der Platz für frei stehende Möbel reicht, können Sie ihn so nutzen.

Im Wald *verloren*

Wenn Sie in den Wald gehen, beginnen Sie eine magische Reise unter wispernden Bäumen in unbekanntem Territorium – dieses Gefühl können Sie auch zu Hause haben. Tapezieren Sie mit einer Blumenmustertapete in einem Steinton und Kieselgrau den gesamten Raum oder nur eine Wand.

Bilden Sie das Geheimnis eines tiefen Waldes im Schlafzimmer ab.

1

2

3

Sind die Wände tapeziert, verlegen Sie Teppichboden oder streichen Sie die Bodendielen in einem warmen Steinton (1). Als Vorhang wählen Sie ein einfaches Gewebe in Feldgrün (3). Raffrollos in diesem Farbton mit Rändern in Kieselgrau (4) und Bedienketten aus Leder sehen großartig aus.

4

5

Ein modernes, aber einfaches Pfostenbett in dunklem Serpentin (5) bildet den Blickpunkt des Raums. Am Fuß des Bettes steht ein in lebhaftem Jadegrün (2) gepolsterter Stuhl oder eine Bank als kräftiger Farbspritzer.

Die Schönheit der Wüste

Warm und belebend beseelen die Farben des Sonnenscheins jedes Interieur. Von reduzierten Gelb-Creme-Tönen bis zu pigmentreichem, goldenem Safran können Sie Gelb als Basis nehmen, um kühlere, nach Norden weisende Räume aufzuhellen. Lassen Sie sich von der Mittagshitze der Kalahari inspirieren – von ihrer Weite und ihrer sonnendurchfluteten Landschaft. Stellen Sie sich vertrocknete Grashalme vor, die über die endlosen goldenen Sandflächen verstreut sind, und die heiße Sonne, die die Erde erhitzt, und tragen Sie die Wärme von Braun, Gelb und Orange in Ihr Heim.

Verlorene *Oase*

Ein helles und beleben-des Konzept für ein Jugendzimmer.

Die warmen Ockertöne dieser Palette erinnern an die heiße, trockene Wüste und funktionieren gut mit kontrastierenden kühlen Akzenten. Die fast tropischen Töne sind lebhaft und belebend, die blauen verleihen dem Konzept kühlere Aspekte. Das ist ideal für ein Jugend- oder Arbeitszimmer.

1

2

3

Streichen Sie die Wände im ausgewählten Zimmer in hellem Sonnenblumengelb (1). Das schafft einen leuchtenden und kräftigen Hintergrund.

4

5

Wählen Sie die hellste Farbe, Creme (4), für den Teppich oder als Bodenfarbe. Wenn Sie den Boden streichen, legen Sie flippige Teppiche in Pool- (2), Azurblau (3), Sonnenblumengelb und Gold (5).

Die Vorhänge haben ein stilisiertes Blumenmuster, das all diese Farben vereint. Gruppieren Sie Pop-Art-Kunstdrucke in weißen Rahmen an der Wand. Dann ist der Look perfekt.

Auf *dem Basar*

Stellen Sie sich einen Basar in Kairo vor, geschäftige, wimmelnde und lärmende Straßen, an deren Seiten bunte Stände stehen, in denen Kleidung, Stoffe, Gewürze und traditioneller Schmuck verkauft wird. Um eine unauffällige Eleganz zu erreichen, denken Sie besonders an die Haptik der Stoffe.

Von den Farben eines ägyptischen Basars inspiriert.

1

2

3

Seien Sie wagemutig und beziehen Sie ein L-förmiges Sofa mit hellem Sonnenblumengelb (1).

Vor einem neutralen Hintergrund in naturfarbenem (2) und grauem Sand (3) wirkt ein samt- oder lederbezogenes Sofa in dieser Farbe wie ein Designerstück.

4

Betonen Sie die Kühnheit des Sofas und wählen Sie schöne Kissen in kühlerem Lila (4) und in Goldbraun (5), sowohl gemustert, bestickt als auch ganz schlicht.

5

Um den Look zu komplettieren, fügen Sie Einzelstücke in diesen Farben hinzu.

Der Charme *der Nomaden*

Einzigartig und luxuriös: ungewöhnliche Farben mit dunklem Holz.

Dieses Konzept hat nur zwei Grundfarben. Wenn Sie mit deren Tönen und ihrer Verwendung spielen, wird sich der Raum opulent und luxuriös anfühlen. Kombinieren Sie diese Palette mit dunklem Holz, Spiegelflächen und hochwertigem Mobiliar – dann wird alles prachtvoll und verschwenderisch.

1

2

3

Das zentrale Stück dieses Zimmers könnte ein großer, hängender Lampenschirm in lichtem Ocker (1) sein: Er sieht großartig vor Wänden in mattem, gedecktem Mauve (3) aus.

4

5

Für das Sofa nehmen Sie prachtvollen Samt in Aubergine (5), dazu für die Kissen Seide in lichtem Ocker und Indischgelb (4). Das verstärkt den Gelbspritzer in dem Konzept.

Wählen Sie einen strukturierten, großen Seidenteppich in einem pilzbraunen Ton (2) für die Raummitte. Den letzten Schliff geben verzierte Spiegel und Goldrahmen an den Wänden.

Versengte *Erde*

Helle, strahlende oder kühle Farben sind die Klischeefarben für ein Badezimmer – kaltes Blau, Grau oder Weiß etwa – und vielleicht halten Sie deshalb diese Palette hier für nicht geeignet fürs Bad. Ist Ihr Bad aber groß genug und bietet es Raum für eine frei stehende Wanne, ist sie perfekt.

Ein warmes, aber sanftes Konzept, ideal fürs Badezimmer.

1

2

3

Streichen Sie die Wände in lichtem Ocker (1) und die Außenseite der Wanne in einem dunklen Steinton (3).

Ein heller Karamellton (2) wird die Bodenfarbe. Möbel sollten frei stehende Kolonialstücke sein; die Accessoires in dunklem Holz kontrastieren mit dem Boden.

4

5

Für die Fensterrahmen lichtes Ocker mit Rändern aus dem dunklen Steinton verwenden, dazu auch Fenster nehmen, die das Licht maximieren.

Zuletzt einfache und gestreifte Handtücher wählen in Rosa (4), Terrakotta (5) und Karamell.

Gewürz*markt*

Opulente, würzige Farben, ideal für das Esszimmer.

Der Gewürzhandel entstand zwei Jahrtausende vor Christus im Nahen Osten. Im Mittelalter galten Gewürze als die wertvollsten Güter Europas. Ihre Aromen waren die Inspiration für diese satten Töne, die zusammen ein schickes, elegantes Konzept ergeben.

1

2

3

Nehmen Sie antike Möbel in Mahagoni (2) und beziehen Sie die Stühle in goldenem Safran (1). Greifen Sie Safran, nicht notwendigerweise mit dem gleichen Stoff, mit bodenlangen Vorhängen wieder auf. Streichen Sie die Wände in Elefantengrau (4). Das Gelb des Safrans sieht neben dem matten Grau fabelhaft aus.

4

5

Licht ist elementar für das Ambiente eines Esszimmers: Stellen Sie Lampen mit übergroßen Schirmen in Schiefergrau (5) auf ein Sideboard. In eine Ecke kommt eine normale Lampe mit einem ähnlichen Schirm in Leinenbraun (3).

Windgepeitschte *Dünen*

Stellen Sie sich goldene Sanddünen vor, eine unberührte und scheinbar endlose Landschaft, die sanft zum Strand abfällt. Verwenden Sie diese Farben um Ihr eigenes Paradies im Haus zu schaffen, ein Refugium vor den Anforderungen des täglichen Lebens.

Mit zarten Texturen und dunklem Holz Wärme geben.

1

2

3

Für die Lounge wählen Sie eine dramatische Tapete in goldenem Safran (1) und Lilie (2), die als Hintergrund für grau-lila (3) gepolsterte Möbel dient. Dazu kommen Wolldecken und Wollkissen in Grau-Lila, goldenem Creme (4) und Ton (5).

4

Der Teppich im Wohnbereich ist tonfarben (5); bei Dielen legen Sie einen großen Teppich.

5

Nehmen Sie einen modernen Stoff, der die lila und grau-lila Töne mit Safran zusammenbringt, und hängen Sie schlichte Vorhänge an eine luxuriöse, dunkle Holzstange.

Mexikanisch *heiß*

Ein flirrendes Konzept, ideal für ein modernes Wohnzimmer.

Feurig, heiß und würzig zeigt sich der mexikanische Einfluss in diesem Konzept, das belebend und fröhlich ist. Mischen Sie Orange und Braun mit den warmen Tönen von Buttermilch – ein Konzept für eine moderne Lounge oder einen offenen Wohnbereich.

1

2

3

Streichen Sie zwei aneinanderstoßende Wände in sattem Buttermilchgelb (1), die übrigen in einer unauffälligen Neutralfarbe wie beispielsweise Beige (3). Das lenkt den Blick in die von Ihnen bestimmte Richtung.

4

5

Nehmen Sie reines Weiß (2) für das Holz. Finden Sie einen Retro-Stoff für die Fensterrollos in sattem Buttermilchgelb und kräftigem Orange (4).

Wählen Sie Orange etwa für einen flippigen Stuhl in der Ecke oder eine tolle Lampe.

Dazu moderne Möbel in dunklem Holz (5) und einfachen, klaren Formen.

Aufs Wesentliche *reduziert*

Fröhlich, hell und erfrischend – Gelb ist die Farbe, die wir mit Licht und Sonnenschein verbinden. Gelb passt besonders gut zu Grün und Orange und kann aufgehellt oder abgedunkelt werden, je nach Akzentfarbe. Optimistisch und einladend, ist es ideal für eine Küche oder den Flur.

Nehmen Sie Gelb, um etwas Sonne ins Zimmer zu holen.

1

2

3

Welcher Platz passt besser zu den Attributen von sattem Buttermilchgelb (1) als die Wände des Windfangs, wo Sie Ihre Gäste willkommen heißen?

Halten Sie das Holz in reinem Weiß (3), was sehr gut zu allen Gelbtönen passt. Wählen Sie einen Webläufer in Salbeigrün (2), gelbem Creme (4) und Goldocker (5). Denken Sie daran, dass Streifen im Flur und bei Treppenläufern besonders wirken.

4

5

Schließen Sie den Look mit Blumentöpfen in Goldocker und gelbem Creme auf den Fensterbänken oder oben auf den Möbeln ab.

Kalifornischer *Kaktus*

Gelb- und Limonengrüntöne ergeben eine moderne Palette.

Hier verbindet sich die warme, trockene Farbe des Sandsteingelbs mit Zitrusdüften. Die dezente Wärme des Sandsteins wird von den scharfen, erfrischenden Tönen perfekt ergänzt; zusammen ergeben sie ein kräftiges Konzept, das ideal zu einer modernen Küche passt.

1

2

3

4

5

Warmes Sandsteingelb (1) ist als Küchenfarbe prädestiniert. Halten Sie aber alles licht mit Arbeitsplatten, Griffen und Kacheln in Creme (3).

Um am Morgen hell und erfrischend zu frühstücken, fügen Sie Farbakzente in Limonengrün (5) hinzu.

Streichen Sie einen alten Küchentisch in Honiggelb (2), die Platte lassen Sie in Holz oder streichen sie in Creme. Streichen Sie noch ein paar alte Stühle in etwas hellerem Limonengrün (4).

Den Look runden farbenprächtige, peppige Accessoires und ein paar Kakteen ab.

Wüsten*rose*

Warme Gelbtöne passen gut zueinander, und ihre Wärme prädestiniert sie für einen Raum, der von Natur aus kühl ist oder nicht sehr viel natürliches Licht erhält. Gelb reflektiert stark das Sonnenlicht, es lässt ein dunkles Zimmer heller und leuchtender wirken.

Grandioses Spektrum von Gelbtönen für Licht und Wärme.

1

2

3

4

5

Wenn Sie dieses Konzept umsetzen, bringen Sie künstlichen Sonnenschein in jeden Raum.

In einer Lounge streichen Sie die Wände in warmem Sandsteingelb (1), der Teppich ist in kontrastierendem, sattem Gold (5). Beziehen Sie die Möbel mit gestreiftem Stoff in Strandgelb (2) und Vanillekaramell (3).

Fügen Sie schöne Kissen in hellem Orange (4) und Goldocker hinzu.

Auch die Vorhänge sollten hell und kurz sein. Stellen Sie sicher, dass sie das Tageslicht nicht abhalten.

Beruhigende *Klassiker*

Ein durch und durch moderner Look.

Weiß – klar, sauber und frisch – gilt oft als klinische Farbe, aber mit Gelb funktioniert es gut. Diese Palette nutzt das harmonische Verhältnis zwischen beiden Farbtönen und schafft ein Konzept, das ideal zu einer Wohnküche passt.

1

2

3

4

5

Für eine einfache, aber klassische Landhausküche streichen Sie die Schränke und das Holz in reinem Weiß (2). Daran kommen zeitlose Messinggriffe. Auch die Hähne sollten aus Messing sein. Nehmen Sie reines Weiß und Metallicgrau (5) für eine glänzende Marmorarbeitsplatte.

Streichen Sie die Wände in hellem Gold (1). Dieser warme Farbton bildet einen schönen Kontrast zu den kühleren Tönen des Marmors.

Wählen Sie Keramikobjekte, Krüge und Geschirr in warmem Ton (3), Banane (4) und Metallicgrau aus.

Inneres *Paradies*

Farben rufen unterschiedliche Gefühle und Stimmungen hervor. Wechseln Sie die Farbe eines Raums, ändert sich dadurch seine Stimmung. Wo Sie sich entspannen und es sich bequem machen wollen, verwenden Sie warme Neutralfarben, die sich als Grundton durch die anderen Räume ziehen.

Der einfachste Weg, sein Haus aufzuwerten, ist Farbe.

1

2

3

Wenn Sie mit einer warmen gelben Neutralfarbe wie etwa hellem Gold (1) arbeiten, setzen Sie als Ergänzung beige Töne (2,3) ein, z.B. in einem Teppich, der von der Lounge in den Flur verläuft und so die Zimmer verbindet.

4

Um Tiefe und einen Farbakzent zu erzielen, wählen Sie Drucke und Stoffe in Mitternachtsblau (4) und Beige. Das sieht großartig aus.

5

Moderner wird es mit Möbelstücken in krautigem Grün (5) und glänzendem Chrom, die dem Ganzen etwas Glamour verleihen.

Arabische *Nächte*

Kombinieren Sie Erdfarben und kräftige Drucke in einem Zimmer.

Die Farben der arabischen Lebensart haben dieses Konzept inspiriert: kräftige Drucke, luxuriöse Stoffe und Lichteffekte vor einer wunderschönen Landschaft. Lassen Sie sich für Ihr Interieur vom arabischen Stil inspirieren, richten Sie aber keine Schaubude ein.

1

2

3

4

5

Die Grundfarbe Dünengelb (1) ermöglicht viele kreative Farben und Muster. Ergänzen Sie Wände in diesem Ton mit anderen erdfarbenen Neutralfarben, etwa mit hellem Beige (2) und zartem Grün (3). Dieser unaufdringliche Hintergrund kann mit starken Farbakzenten akzentuiert werden. Nehmen Sie Gelborange (4) und Kupfer (5) für einen großen gestreiften Teppich in der Raummitte oder als Farben in einem Blockdruck-Überwurf oder einer Fensterjalousie.

Accessoires sind zum Konzept passende Lampen und Kerzen.

Beduinen*seide*

Wir bleiben in Arabien und beziehen uns in diesem Konzept auf den Nomadenstamm der Beduinen. Stellen Sie sich ein exotisches Beduinenzelt mit vielen Schichten aus Decken, Stoffen mit Metallfäden und Polsterkissen vor, die über ein dunkles Holzbett verstreut liegen.

Naturseide und Samt für ein vornehmes Schlafzimmer.

Streichen Sie die Wände in Dünengelb (1), wie die Wüste um das Zelt. Im Mittelpunkt steht ein dekadentes rotes Mahagonibett (3).

Spüren Sie im Fachhandel besondere Kissen in Purpur (4) und tiefstem Pfauenblau (5) auf, die mit Applikationen in Metallicrosa (2) versehen sind. Verwenden Sie Reste von Samt und Seide, um weitere Kissen und Decken zu fertigen.

4

5

Wählen Sie einen Webboden in Dünengelb oder einem dunkleren Ton aus, um einen neutralen Hintergrund für die Stoffe im Raum zu erhalten.

Bewegende *Landschaft*

Ähnliche Farbtöne für ein makelloses Innenraumkonzept.

Natürliches Licht hat auf eine Landschaft dramatische Wirkungen, vom kalten, klaren Licht am Morgen bis zur stimmungsvollen Weichheit der Dämmerung. Künstliches Licht kann ähnlich wirken, das sollte bei der Wahl eines Farbkonzepts beachtet werden.

1

2

3

Nach Ihrer Farbwahl streichen Sie zuerst ein Wandstück zur Probe und betrachten es dann am Tag und in der Nacht. Sie werden sehen: Je nach Tageszeit wirkt es anders.

4

5

Creme (1) ist eine ideale Neutralfarbe, auf der dieses Konzept basiert. Nehmen Sie Altweiß (4) für Holzwerk und Creme für den Bodenbelag.

In einer Lounge setzen Sie Kombinationen aus Pastellgelb (2), Blassgrün (3) und hellem Aquamarin (5) für die Polster und Textilien ein. Vorhänge aus einfachem Voile in Altweiß passen am besten zum Naturlicht.

Grenzenlose *Weite*

Zeitlose Eleganz dank Naturmaterialen in einem neutralen Konzept.

Die Familie der Taupetöne ist sehr groß, und dieses Konzept zieht seine Inspiration aus diesen Farbnuancen und der Natur. Verbinden Sie die Farben mit verschiedenen Materialien und Strukturen, um ein wirklich dekadentes Schlafzimmer einzurichten.

Streichen sie die Wände in Creme (1) und hängen Sie schwere, bodenlange Stores in einem strukturierten taupegrünen (2) Stoff auf.

Wählen Sie hochwertige Baumwollbettwäsche in reinem Weiß oder einem Mix von Creme und Sandtaupe (3).

4

Das Mobiliar sollte zum Kontrast dunkel gehalten sein, entweder fast schwarz oder in Walnuss. Beziehen Sie einen Schlafzimmerstuhl in Gelbcreme (4), legen Sie ein Samtkissen in Maulwurffell (5) auf den Sitz und Kissen im gleichen Farbton auf das Bett.

5

Marokkanische Träume

Stellen Sie sich Lehmdörfer in einer sonnendurchfluteten Landschaft vor, klare Himmel, Hügelketten voller zarter Blumen und eine märchenhafte Welt, in der Beduinenzelte aus farbenprächtigen Textilien stehen. Dieses Kapitel ist von der marokkanischen Lebensart inspiriert und setzt ein breites Spektrum an Erdorangetönen ein, um Ihre Innenräume zu harmonisieren und ihnen Wärme zu geben.

Minz*tee*

Exotische Farben für ein Schlafzimmer oder eine Lounge.

In Marokko ist das Teetrinken mit der Familie oder Freunden ein wichtiges Ritual. Dort wird ein unglaublich süßer Minztee aus wunderschönen Gläsern getrunken, die oft vergoldet oder gefärbt sind – eine herrliche Farbkombination, die dieses Konzept inspirierte.

1

2

3

Nehmen Sie eine dunkle Gewürzfarbe (1) für die Dielen und mildern Sie es mit gestreiften Teppichen in Marokkanisch Rosa (2), weißem Sand (3), Milchweiß (4) und Thaigrün (5) ab.

4

5

Legen Sie Polsterkissen und Überwürfe über einfache Stühle oder das Bett, dazu streichen Sie einfache Möbel in Milchweiß und der dunklen Gewürzfarbe.

Greifen Sie die spannenden, grünen Akzente durch Accessoires auf, wie beispielsweise durch gläserne Teelichtständer oder Vasen in Thaigrün.

Zu den *Ursprüngen*

Diese orangefarbenen Neutralfarben erinnern an die Wüste und die feinen Farbunterschiede, die dort vorkommen. Man denkt an ein Berberdorf, das plötzlich zwischen den Dünen auftaucht. Diese Farben führen Sie in der Zeit zurück in eine vergessene Welt.

Schickes Konzept, das die mystischen Verlockungen Marokkos verheißt.

1

2

3

Dieses vielseitige Konzept funktioniert im ganzen Haus. Setzen Sie die Farbtöne in offenen Räumen ein. Definieren Sie den Wohnbereich mit Wänden in der dunklen Gewürzfarbe (1) und die Küche und den Essbereich mit einem hellen Cremeton (2). Bringen Sie die dunkle Gewürzfarbe durch Hochglanzelemente wieder in die Küche.

4

5

Um alles einheitlicher zu gestalten, nehmen Sie durchgehend gerade geschnittene Rollos in Aschbraun (3), zum Sitzen Sofas in Neapelgelb (4) und einen einzelnen Stuhl in Goldumbra (5).

Natürliche *Pigmente*

Verwenden Sie diese Grundtöne in einem Arbeitszimmer.

Früher wurden Pigmente aus Erde und Pflanzen hergestellt. Es gab daher nur eine begrenzte Zahl von Farben, einige davon teuer in der Herstellung. Heute fertigt man Pigmente aus Chemikalien – es gibt ein ganzes Farbkaleidoskop. Dieses Konzept ist von den früheren Farben inspiriert.

Gehen Sie zurück zur Wurzel aller Farben. Nehmen Sie Berberbraun (1) und dunkles Umbra (3) für einen gestreiften oder karierten Teppich. Streichen Sie die Wände in Zimtpfirsich (2). Fertigen Sie für die Fenster schlichte Stores in Berberbraun.

Für einen funktionellen Schreibtisch wählen Sie Mineralblau (4), dazu kommt ein Stuhl in Stahlblau (5).

Zuletzt fassen Sie mehrere sepiafarbene Bilder in mineralfarbenen Rahmen ein und hängen sie paarweise an die Wand.

Charme *der Mauren*

Das perfekte Konzept für ein Retro-Zimmer.

Die Verzierungen und die Handwerkskunst maurischer Architektur sind unglaublich. Eines der beeindruckendsten Beispiele ist die Alhambra im spanischen Granada. Ihre scheinbar unendlichen Paläste und ihre erhabenen Gärten haben dieses Konzept und seine Farbpalette inspiriert.

Dieses Konzept überrascht durch einen Schuss feuriges, kräftiges Orange (5), das als Akzent perfekt in eine Retro-Lounge passt.

Wählen Sie stilvolle, niedrige Ledersofas in Berberbraun (1) und halten Sie die Wände in diskretem Elfenbein (2).

Nehmen Sie Nude (3) für den Bodenbelag, legen Sie in die Raummitte einen großen Teppich in den Farben Rosa (4) und Orange.

Zum Schluss stellen Sie eine verschnörkelte Bodenlampe mit einem Schirm in Orange dazu.

Jagd *nach Gold*

Goldtöne geben einem fahlen Appartement oder Zimmer Wärme.

Seit frühgeschichtlicher Zeit gilt Gold als wertvoll. Man verbindet damit Reichtum, Vermögen, Münzen und Schmuck; Gold bildet mit anderen Metallen zahlreiche Legierungen, zudem harmonisiert es mit vielen anderen Farbtönen. Goldtöne passen gut zu den hier gewählten Brauntönen.

Nehmen Sie Pfirsich (3) für den Teppich, der das gesamte Erdgeschoss durchzieht. Streichen Sie alle Wände in Siena natur (1).

Wählen Sie klar umrissene Möbelstücke – retro und neu – in Mahagoni (5); sie wirken vor den Wänden in Siena natur und dem Teppich in Pfirsich großartig. Beziehen Sie das Hauptmöbelstück in Gelbgold (2) als Blickfang und nehmen Sie Stores in Milchschokobraun (4) dazu.

Damit es moderner wirkt, hängen Sie aktuelle Drucke und Spiegel in Goldrahmen auf.

Irdische *Träume*

Belebende Farben, die eine flexible und fröhliche Umgebung schaffen.

Orange ist eine kreative Farbe voll Energie. Seine Bandbreite ist groß, von feurigem Blutorange bis zu dunklem Kastanienbraun der Erde. Wie bei vielen anderen Farben hängt der Eindruck von den Umgebungsfarben ab. Zusammen mit ruhigen Neutralfarben wirkt auch Siena natur wie sattes Orange.

1

2

3

Verwenden Sie dieses Konzept für eine Teenager-Lounge oder ein Kinderzimmer.

Nehmen Sie Siena natur (1) als Grundfarbe an den Wänden. Der Boden funktioniert in Schokoladenkaramell (3), Holz und alle anderen unveränderlichen Details sollten Sie in hellerem Creme (2) streichen.

Sitze sind in Kalkcreme (4), Accessoires tonfarben (5) und Kissen in Siena natur.

Nehmen Sie diese Farbtöne auch für die Bettwäsche und sämtliche Kissen im Raum.

4

5

Haus der *grünen Minze*

Bringen Sie die Hitze Marokkos in Ihr Schlafzimmer.

Beschwören Sie die Stimmung einer marokkanischen Villa herauf, die in üppigem Grün in einer heißen, trockenen Landschaft verborgen liegt und von Springbrunnen und tropfendem Wasser umgeben ist. Sie bringen Kühle in die Wüstenhitze und Ruhe. Dieses Paradies erschaffen Sie im Schlafzimmer.

Streichen Sie die Schlafzimmerwände in Bernstein (1), das warme Glühen füllt den Raum. Fügen Sie lackierte Möbel in Silberweiß (2) und ein schönes, seidenes Bettkopfteil in Steingrau (3) hinzu.

Hängen Sie an die Fenster fließende Gardinen in Bernstein und Pfefferminz (5), dazu ein dunkles, blattgrünes (4) Rollo, um Ihre Privatsphäre zu schützen.

Frische Bettwäsche in Silberweiß macht das Bett einladend. Accessoires sind Kissen in einer Farbe oder einer Kombination aller Farben.

Die Exotik *Arabiens*

Wenn wir eine Kultur oder Ära in unserem Heim aufgreifen, sollten wir nur Elemente daraus benutzen. Spielen Sie mit Kontrasten und Größen, um etwas Alltägliches in etwas Außergewöhnliches zu verwandeln. Stellen Sie z. B. statt Nachttischlampen große Bodenlampen auf beide Seiten des Bettes.

Neutralfarben als Akzente für würzige, arabische Farbtöne.

1

2

3

4

5

Wählen Sie würziges Bernstein (1) als Farbe für zwei große arabischer Urnen auf beiden Seiten eines rosagrauen (2) offenen Kamins. Streichen Sie die Wände in ruhigem Lavendel (3) und wählen Sie einen Bodenbelag in Naturstein (4).

Ein würziges, warmes Gold (5) lässt das Sofa großartig aussehen, es sollte niedrig sein und vor der Wand stehen. Dazu kommen Kissen in verschiedene Texturen, die all die gewählten Farben spiegeln.

Zuletzt hängen Sie Vorhänge in Rosagrau an die Fenster.

Fremde *Gewürze*

So schmeckt Ihre Küche nach Afrika.

In den nordafrikanischen Ländern ist die Fülle an Gewürzen beeindruckend. Die Aromen und Farben lassen einem das Wasser im Munde zusammenlaufen, der Geschmack verlangt nach mehr. Mit diesem Konzept bringen Sie die fremden Aromen in Ihr Heim.

Nehmen Sie rötliches Orange (1), um Ihre Küchenwände aufzupeppen. Sind die Wände in so einer starken Farbe, sollte die Küche selbst mit Elementen in Creme (4) einfach gehalten werden. Kontrastieren Sie die hellen Küchenelemente mit einem wunderbar dunklen, grün-braunen (3) Boden.

Die bräunliche Orangenuance (2) ergibt eine überraschende Farbe für trendige Lederhocker, die Jalousien in ruhigerem, hellem Kürbisorange (5) betonen die Wände in dem rötlichen Orange. Das Geschirr halten Sie in bräunlichem Orange und Grün-Braun.

Geheimnisvolles *Marrakesch*

Damit ein Design geheimnisvoll wirkt, sollte es Elemente enthalten, über die Besucher mehr erfahren wollen oder die ihnen unverständlich sind. Um das in einem Interieur umzusetzen, nehmen Sie alte Möbel, Antiquitäten und interessante Kunstwerke. Eine alte Truhe kann z. B. als Kaffeetisch dienen.

Ungewöhnliche Objekte und Möbel atmen ein Geheimnis.

1

2

3

Nehmen Sie rötliches Orange (1) als Blickpunkt eines abstrakten Bildes, das fast die gesamte Wand bedeckt. Streichen Sie die Wände selbst in Blassgrün (4) – das bildet einen wunderschönen Kontrast zum Bild.

Finden Sie retro-schwarze (5) Sofas, die wie eine Skulptur wirken, als Beistelltisch nehmen Sie eine alte Hutschachtel oder eine kleine Holztreppe.

Für die Vorhänge und Accessoires kombinieren Sie ein rostiges Rosé (3) und cremiges Orange (2) mit unterschiedlichen Texturen und Oberflächen.

4

5

Maurische *Romanze*

Sinnliche Farben und Stoffe fürs Schlafzimmer.

Für einen verführerischen, orientalischen Raum treten Sie aus einem marokkanischen Souk und kreieren ein Schlafzimmer in Terrakotta und Sand. Um das sinnliche Ambiente zu betonen, holen Sie das Beste aus den plüschigen und sinnlichen Stoffen heraus.

1

2

3

Als Hintergrund streichen Sie die Wände in Sandbraun (1) und kombinieren sie mit wogenden Voiles in wundervollem gelblichen Creme (2).

4

5

Verwenden Sie überkandidelte, exotische Deko, etwa ein großes Bettkopfteil in prächtiger, dunkeltaupefarbener (3) Seide; das Bett ist mit Seidenkissen in Nude (4) und zartem Rosa (5) bedeckt.

Hängen Sie marokkanische Juwelenlampen auf beiden Seiten des Bettes auf. Das ergibt ein romantisches Licht, das geometrische Farben an die Wände wirft.

Mediterrane *Farben*

In der Wüstenlandschaft werden marokkanische Innenräume mit Farbexplosionen geschmückt. Blau ist eine beliebte Farbe; oft wird nur ein Detail, etwa eine Tür oder ein Tisch, damit gestrichen – das hallt wider und steht in Kontrast mit den gelben Orange- und Rosatönen, für die Marokko so berühmt ist.

Kräftige, spielerische Farben für Kinder.

1

2

3

Bringen Sie das schöne und sonnige Mittelmeerblau (2) durch einen entsprechend gestrichenen Schrank in ein Spielzimmer. Er kann auch hochglänzend sein. Hier hinein kommen alle Spielsachen und Spiele. Umgeben Sie den Schrank mit einer in Sandbraun (1) gestrichenen Wand.

4

5

Dazu kommen Schemel und Sitzsäcke in Eisenrot (3) und Mittelmeerblau. Halten Sie Holz und Decken in Grauweiß (4).

Etwas Action und Spaß bringt eine Wandfläche, die in Tafelfarbe (5) gestrichen ist – darauf können die Kinder dann malen.

Sonnenuntergang *in Essaoira*

Verspricht die Wärme des traditionellen Marokko.

Die uralte Stadt Essaoira liegt hoch über der Atlantikküste und ist ein beliebtes Touristenziel in Marokko. Es gibt dort zahlreiche Hotels im Riad-Stil – traditionelle Wohnhäuser, die sich wie eine römische Villa um ein gemeinsames Atrium scharen.

1

2

3

Die vollen, warmen Farben dieses Konzepts sind von diesen traditionellen marokkanischen Häusern inspiriert. In einer Küche mit angeschlossenem Ess- oder Wohnbereich, der bis zum Hof reicht, streichen Sie die Kochecke in Sand (1) und den übrigen Raum in blasserem Hellgrau (2). Verwenden Sie Bodenbelag in Naturstein (3), das eint die beiden Räume.

4

5

Lassen Sie eine Wand in bloßem, dunklem Ziegel (5) stehen, das wirkt rustikal. Dazu Vasen und Blumentöpfe in warmem Rosa (4) und Sand.

Ein Mosaik*traum*

Da sie vor allem zweckdienlich sind, finden Bäder oft keine große Beachtung. Marokkanische Bäder sind jedoch sowohl praktisch als auch prächtig; man verwendet gedeckten Sandstein, getünchte Wände und indirektes Licht. Lassen Sie sich davon inspirieren – für Ihr Bad im marokkanischen Stil.

Beleben Sie Ihr Bad mit kräftigen Farben und Mosaiken.

1

2

3

Errichten Sie einen auf zwei Säulen stehenden Bogen über einer versenkten Badewanne, streichen Sie die Wand dahinter in der dunkelsten Farbe: Zeder (3). Die Bogenfront und die übrigen Wände streichen Sie mit Sand (1) über Weiß (2).

4

Für die Dusche trennen Sie eine Nasszone mit einfachem, grünem Glas ab, dann nehmen Sie handgefertigte Mosaikkacheln in verwaschenem Violett (4) und Oxidgrün (5). Dazu Glas- und antike Messinglampen auf beiden Seiten eines mit Mosaiken gerahmten Spiegels.

5

Wüsten*sturm*

Eine Verbindung aus exotischen Wüsten- und Neutralfarben.

Wüstenstürme können heftig sein, gewaltig und laut, aber ihnen geht häufig eine Zeit der Stille voran oder folgt ihnen. Um einen ruhigen Rückzugsort vor dem Lärm und der Hektik des modernen Lebens zu schaffen, verwenden Sie dieses Konzept im Wohnbereich – und setzen wenige marokkanische Gegenstände ein.

1

2

3

4

5

Stellen Sie ein L-förmiges Sofa in zartem Kürbisorange (1) in die Lounge, die fast den ganzen Raum einnimmt. Streichen Sie die Wände in weißem Sand (3) und legen Sie einen Teppich in plüschigem Helltaupe (2).

Stellen Sie große Sitzkissen in Saharagold (4) und Rostrosa (5) um und gegen das Sofa. Vermeiden Sie dabei aber zu viele Möbel.

Hängen Sie an Eisenstangen rohseidene Vorhänge in Butternuss, die sich über den Boden ergießen. Zum Schluss kommen abstrakte Bilder in Sandtönen an die Wände.

Verstecktes *Paradies*

Königliche Suite mit moderner, marokkanischer Anmutung.

Wenn Sie in den geheimnisvollen Gassen Alt-Marrekeschs spazieren gehen, ahnen Sie nicht, welche Schätze sich hinter den hohen Mauern verbergen. Erst wenn Sie einen unauffälligen Bogen durchschreiten, erblicken Sie die Gartenhöfe mit Arkadengängen, die zu den palastartigen Räumen führen.

1

2

3

4

5

Streichen Sie das Zimmer in zartem Kürbisorange (1), fügen Sie Holzläden in Chamäleongrün (3) hinzu.

Polstern Sie Bett und Stühle mit Leinen oder Wolle in Sandcreme (2). Das Bett mit orangecremefarbenen (4) und herrlich soukgelben (5) Baumwollüberwürfen bedecken, die gleiche Farbe auch für luxuriöse Seidenkissen verwenden.

Vervollständigen Sie diesen modernen Look mit dunklen Holz- und Rattanmöbeln und stellen Sie Erinnerungsstücke in Orangecreme und Chamäleon dazu.

Wildnis

In einem tiefen, dunklen Wald verirrt,
ringsherum nichts als Bäume und Gebüsch:
Braun ist die Farbe der Wildnis. In der Natur die Farbe
von Leder, Holz und Erde, ist es ein zuverlässiger
Farbton, der in zahllosen Umgebungen funktioniert.
Es ist eine praktische und nützliche Farbe in
Ihrem Zuhause und passt ebenso gut zu Blau- und
Grüntönen wie zu peppigeren Rot- und Gelbtönen.

Einfache *Linien*

Braun findet sich häufig als Farbe in modernen Konzepten.

Braun ist ein kräftiger und vielfältiger Farbton, der an Wälder und Leder erinnert. Es ist die Farbe der Erde und kommt in der Natur überreich vor. Weniger hart als Schwarz, funktioniert Braun als dunklere Komponente eines modernen Konzepts und bringt Wärme in jeden Raum.

Die Grundfarbe dieser Palette ist sattes, dunkles Schokobraun (1). Es funktioniert sensationell mit hellen Kontrastakzenten – und schafft so einen modernen Look – oder mit dezenten Neutralfarben, die zeitlose Eleganz erzeugen.

Im Flur nehmen Sie Schokobraun für einige Möbel, etwa einen Konsolentisch oder einen alten Lederstuhl. Streichen Sie die Wände in hellem Grau (2), die Vorhänge werden armeegrün (3) und taupe (5). Stellen Sie zwei Lampen oder Vasen in Zartrosa (4) und Taupe dazu, das hellt die dunklen Möbel auf.

Versengte *Erde*

Brauntöne sind warm und irden, Rosatöne lebendig und feminin. Rosa liebt Braun und Braun liebt Rosa. Mischen Sie daher die natürlichen Eigenschaften und Erdtöne von Braun mit warmem Rosa und kombinieren Sie das mit luxuriösen Stoffen. Das ergibt ein schönes, romantisches Schlafzimmer.

Braun und Rosa gleichen sich im romantischen Schlafzimmer aus.

1

2

3

Entwickeln Sie Ihr Design um eine tolle Tapete herum oder einen Stoff in silberrosa (2) oder schokobraunen (1) Tönen. Tapezieren Sie die Wand am Bett oder hängen Sie Stoffbahnen hinter das Bett.

4

Wählen Sie Möbelstücke in dunklem Schokobraun als Ausgleich für das Rosa und einen einfachen Stoff in Silberrosa (2) als Jalousie.

5

Streichen Sie die übrigen Wände in lichtem Grau (3) und fügen Sie rote Gewürztöne (4,5) als Accessoires hinzu, etwa bei Lampen, Keramiken oder auch Textilien.

Afrikanische *Safari*

Töne, Muster und natürliche Textur in einer modernen Lounge.

Mit dem Wort Safari verbindet man bestimmte Themen oder Stile: Kaki-Stoffe, Helme und Tierfelle. Natürlich setzt dieses Konzept keine Felle ein, aber es bezieht sich auf diese Farben und die Naturtöne der afrikanischen Tierparadiese.

Kontrastieren Sie die hellen Farben von Weiß (2) und Creme (4) mit den härteren Brauntönen von dunkler Kastanie (1) und Anthrazit (3). Nehmen Sie nur eine Farbe, beispielsweise Estragongrün (5), als kräftigen Akzent zu diesen echten Neutralfarben.

Bringen Sie den Look in Schichten aufs Sofa. Der Hauptpolsterstoff ist Leinen in dunkler Kastanie, darüber legen Sie strukturierte Kissen aus anthrazitfarbener Baumwolle, Seide in Creme und weißem Filz. Über die Lehnen kommt ein Überwurf in Estragongrün.

Tierische *Farben*

Ein wildes Design mit Anklängen an Tierfelle.

Afrika ist das Land der Sonne, der Tierherden und der grandiosen Landschaften. Stellen Sie sich Hitze vor, eine scheinbar endlose Landschaft, einen jagenden Geparden oder ein Rudel im Schatten dösender Löwen. Lassen Sie sich von den Farben und Mustern auf den Tierfellen inspirieren.

Tapezieren Sie eine Wand oder einen Wandteil mit Struktur- oder Textiltapete. Sie greift ein Tierfell in voller, dunkler Kastanie (1) auf.

Stellen Sie moderne, einfache Möbel in hellem Grau (4) auf. Fügen Sie mit einem einzigen großen Kissen, einem abstrakten Bild oder einem Stuhl einen Akzent in dunklem Bernstein (2) hinzu.

Zuletzt kommen Möbelstoffe in den zarten Tönen von Pfirsichorange (3) und Marone (5).

Unberührte *Natur*

Zur Inspiration schauen Sie einfach aus dem Fenster.

Ein einfaches Herbstblatt reicht völlig, um Sie zu inspirieren. Achten Sie darauf, wie sich Gelb-, Braun- und Grüntöne im Garten vermischen, um ein ausgewogenes und schönes Bild zu ergeben. Sie können diese Farbtöne in einer sonnigen, offenen Küche aufgreifen.

1

2

3

Nehmen Sie Fliesen in belebendem Steingrün (4) und streichen Sie die übrigen Wände in einem Goldton (2). Akzentuieren Sie die Grüntöne mit frischen, gestreiften Baumwollvorhängen in Oliv (5) und Gold.

4

5

Den großen Küchentisch und die Küchenelemente halten Sie in Umbra gebrannt (1). Das macht den Raum etwas dunkler. Sie können ihn durch Arbeitsplatten und dazu passende Stühle in mattem Gelb (3) aufhellen.

Wählen Sie Kochutensilien und helles Geschirr in jeder der Akzentfarben.

Textur *der Natur*

Dunkelbraun ist nicht die nahe liegende Wahl für ein Bad. Trotzdem wirken Badezimmermöbel in Umbra gebrannt kultiviert und gepflegt vor einem blassneutralen Hintergrund wie Mandelweiß oder Grauweiß. Ein bewusst in diesen Farben gehaltenes Bad kann überwältigend aussehen.

Das perfekte Konzept für ein königliches Bad.

1

2

3

Wählen Sie einen schönen traditionellen Badezimmerschrank aus Holz in Umbra gebrannt (1) mit einer Natursteinplatte in Grauweiß (3). Die Kacheln sind neutral, in einem ähnlichen Ton.

Streichen Sie die übrigen Wände in Mandelweiß (2) und nehmen Sie für das Fenster einen gestreiften Stoff in Aprikotcreme (5) mit schmalen Streifen in Amazonasblau (4).

4

5

Hängen Sie mehrere flauschige Handtücher in Mandelweiß und Aprikotcreme auf, dazu kommt ein Wäschekorb aus Weide in Mandelweiß oder Umbra gebrannt.

Einsamer *Strand*

Inspiration vom Strandspaziergang.

Stundenlang an einem einsamen Strand spazieren zu gehen sammelt die Gedanken und gibt Ihnen Zeit, über vieles nachzudenken. Sie können Erinnerungen daran mit nach Hause nehmen, etwa Fotos der Fuß- und Handabdrücke Ihrer Kinder im Sand, und diese in Ihrem Flur aufhängen.

1

2

3

4

5

Dieses natürliche, belebende Konzept fängt die Erholung in der unberührten Natur für Ihr Zuhause ein.

Streichen Sie die Wände in Tonbraun (1) und eine Hauptwand in Gartengrün (4). Das ist auch der Hintergrund für Ihre Fotogalerie. Rahmen Sie die Strandbilder in Tonweiß (2) und dunklem Schlamm (3).

Der Boden wird kakibraun (5), das ergänzt die Grün- und Neutraltöne. Im Windfang können Sie einige hohe Bodenvasen in Tonweiß aufstellen.

Erd*wasser*

Die Ausstattung Ihres Home-Office sollte ebenso gut bedacht werden wie die jedes anderen Raums Ihres Heims. Dieses Konzept ist um kräftige Blauakzente herum angelegt – eine Farbe, die mit Ruhe und Klarheit des Denkens verbunden ist und sich daher ideal für den Arbeitsplatz eignet.

Brauntöne mit blauen Akzenten heitern jedes Arbeitszimmer auf.

1

2

3

4

5

Beginnen Sie mit Tonbraun (1) bei den Wänden; nehmen Sie gemütliche Möbel, etwa aus zartgrün (3) gestrichenem Holz. In die Regale stellen Sie Boxen in dunkleren Tönen, etwa Pfefferminz (2) und dunklem Schokobraun (5). Die warmen Brauntöne sehen neben diesen kühlen Akzenten in unterschiedlicher Intensität wunderbar aus.

Statt eines konventionellen Schreibtischs nehmen Sie einen kleinen Tisch in natürlichem (4) Holz und einen bequemen Polsterstuhl in hübschem, frischem Pfefferminz.

Die Einsiedler-*Bucht*

Sinnliche, tröstliche und warme Töne entspannen Sie.

Manchmal müssen wir einfach fliehen – zurück zur Natur und zu einem einfacheren Leben. Lassen Sie sich vom dem Leben eines Einsiedlers inspirieren; setzen Sie diese warme, behagliche Farbgruppe in einer kuscheligen Ecke Ihres Heims ein und entspannen Sie!

1

2

3

Wählen Sie eine Tapete mit einem Blumenmuster in Silberbirke (1) und Wildrose (4) für mindestens eine Wand und streichen Sie die übrigen Wände in Silberbirke.

4

5

Nehmen Sie ein samtenes Sofa in neutralem Taupe (3) mit Kissen in sattem Elfenbein (2) und gedecktem Rot (5). Stapeln Sie wo immer möglich Decken mit unterschiedlicher Textur, das fördert die gemütliche Atmosphäre.

Schalten Sie das Hauptlicht aus und nehmen Sie Lampen mit Schirmen in gedecktem Rot, die das Licht diffuser machen.

Liebe *zum Holz*

Die Textur und die Farben von Holz, eines der großartigsten Naturerzeugnisse, wurde schon immer zur Verschönerung des Heims benutzt. Wenn Sie die natürliche Anmutung von Holz lieben, verwenden Sie es. Mischen Sie alt und neu, hell und dunkel, glatt und rau.

Ob komplementär oder als Kontrast – Holztöne passen immer.

1

2

3

Machen Sie einen Esstisch in Teak (5) gebeizt zum Mittelpunkt Ihres Esszimmers und stellen Sie mitten darauf Holzvasen oder Accessoires in Schlamm (2). Vervollständigen Sie das mit einem Sideboard in dunklem Holz.

4

Beziehen Sie blassolivfarbene (3) Stühle mit in Schlamm gebeizten Beinen. Halten Sie alles einfach: Lassen Sie das Holz sprechen und streichen Sie die Wände in neutralem Silberbirke (1).

5

Fügen Sie einfache Accessoires hinzu, etwa zwei Keramiklampen in Tonweiß (4).

Das Eis *brechen*

Warm und kalt für ein maskulines Schlafzimmer.

Das Wort Eis fällt in einem Kapitel, in dem es um die warmen Naturtöne geht, etwas aus dem Rahmen, aber hier geht es um Kontrast. Umgeben Sie Kaki mit den kühleren Komplimentärfarben Lila und Blau in einem luxuriösen Schlafzimmer, das sowohl sinnlich als auch männlich ist.

1

2

3

Wählen Sie eine schöne und zarte Tapete, vielleicht metallisch schimmernd, in Weiß-Lila- (2) und Kaki- (1) Tönen. Stellen Sie davor dunkle Möbel in Schlamm (3), beispielsweise ein modernes Pfostenbett.

4

Hängen Sie lange, fließende Seidenvorhänge in Königsblau (4) und Stahlblau (5) an das Fenster.

5

Beziehen Sie eine Chaiselongue in einer Raumecke mit Seide oder Samt in Kaki, dazu kommt ein schönes, gemustertes Kissen in Stahlblau und Weiß-Lila.

Schnee*flocken*

Brauntöne eignen sich wunderbar für ein gemütliches Wohnzimmer – sie bringen Wärme in jeden Raum –, aber Sie können auch verdunkeln und begrenzen. Setzen Sie die weißen Akzente dieser Palette ein, um das Konzept auszubalancieren und alles heller und frischer wirken zu lassen.

Schneeweiß und winterlichem Grau mit Braun Wärme geben.

1

2

3

Kaki (1) ist eine perfekte, dunkle Neutralfarbe, die sich ideal für Wände, Möbel und Polster eignet. In einer gediegenen Lounge ist es die Hauptwandfarbe, dazu kommen Holzpaneele aus weißer (3) Seide, die eine Einzelwand bedecken. Das hellt den Raum auf.

4

Davor stellen Sie ein Sofa in einem warmen Steinton (5), entweder in Leder oder Wildleder. Setzen Sie mit weißen Möbeln und Accessoires in weichem Lavendel (4) und Eisgrau (2) Akzente. Glastische und Lampenständer passen ebenfalls sehr gut dazu.

5

Ein neuer *Morgen*

Stoffe müssen nicht auf das Zimmer beschränkt sein.

Es ist eine Freude, die Vorhänge aufzuziehen und den Sonnenaufgang zu sehen. Das Licht flutet in den Raum und lockt uns nach draußen. Dank moderner, witterungsbeständiger Stoffe und Möbel können Sie Ihre Farbpalette und Ihre Designideen bis auf den Hof oder den Balkon ausweiten.

1

2

3

4

5

Nehmen Sie Rattan- oder Weidenmöbel in Ingwerwurzelbraun (1) und machen Sie sie mit Bergen aus unterschiedlichen Kissen weicher. Einige sollten groß genug sein, um als Bodenkissen zu dienen. Die Farbe sollte vibrieren wie z.B. bei Rosa (2).

Befestigen Sie eine Pergola in Steinbraun (5) über der Sitzgruppe, darüber einen traumhaften Baldachin in Perlweiß (4).

Stellen Sie überall Windlichter in gedecktem Mahagoni (3) auf, entzünden Sie die Kerzen, wenn die Sonne versinkt.

Heißer *Sand*

Wir kommen nun zu den wärmeren, auf Orange basierenden Brauntönen. Dieses Konzept stellt die natürlichen Erdtöne in den Mittelpunkt. Die Palette strahlt Wärme aus, aber die Kraft von Ingwerwurzelbraun und Nektar kann auch auf aufregende und witzige Weise in einem Wohnzimmer eingesetzt werden.

Peppen Sie eine neutrale Grundlage mit Orange und Gelb auf.

1

2

3

Nehmen Sie Ingwerwurzelbraun (1) als Wandfarbe, dazu große Sofas mit widerstandsfähigem Stoff in Nektar (5). In die Raummitte legen Sie einen bunten Teppich in den Tönen Geißblatt (2), Beige (3), Nektar und Ingwerwurzelbraun. Wählen Sie Tische und Sideboards in dunklem Holz (4), dazu jede Menge Schränke mit Schubladen.

4

5

Seien Sie beim Licht kreativ – hängen Sie drei große Lampen in unterschiedlichen Höhen in die Raummitte, eine davon in Geißblatt, eine andere in dunklem Holz und eine letzte in Nektar. So wirkt das Design lustig und nahbar.

Weißer *Rauch*

Rauchiges Grau mit helleren Akzenten für eine moderne Küche.

Als eine hellere Version von Kaki ist Bambus eine weitere gute Neutralfarbe, die über zahllose Farbkonzepte hinausgeht. In diesem Konzept wird der Ton mit einer echten Mischung sowohl von kalten als auch warmen Akzenten für eine moderne Küche verbunden.

1

2

3

Streichen Sie die Schränke in Aschgrau (2) und verlegen Sie auf dem Fußboden Fliesen in kühlem Silbergrün (3). Diese Farben sehen zu Wänden in Bambus (1) fantastisch aus.

4

5

Im Essbereich der Küche vertiefen Sie die Wandfarbe zu dunklem Steingrau (4). Das intensiviert den Raum auf sanfte Art.

Nehmen Sie Jalousien in Aschetönen mit einem Schuss Silbergrün, dazu sparsam Accessoires in Glutrot (5).

Stiller *Lärm*

Neutraltöne passen fast immer und können sich einfach zu verschiedenen Konzepten oder Stilen entwickeln lassen. Man kann daher eine Grundneutralfarbe im ganzen Haus verwenden. Nur durch das Auswechseln der Akzentfarbe lässt sich der Gesamteindruck des Raums verändern.

Eindruck machen, ohne grell zu sein.

1

2

3

In einem offenen Raum halten Sie die Polster in Bambus (1) und die Möbel in warmem Schwarz (5).

An die Fenster kommen einfache Raffrollos in naturfarbenem (2) Stoff, dazu ein Teppich in Honiggelb (3) und warmem Schwarz, um den Sitzbereich im Mittelpunkt zusammenzuführen und ihn zu einem echten Bestandteil des Raums zu machen.

4

5

Stellen Sie eine große Bodenvase in Bohnenbraun (4) auf und an die andere Raumseite auf einen Tisch eine kleine Lampe in diesem Farbton.

Handgefertigte *Stoffe*

Neutralfarben und Naturmaterial ergänzen sich bestens.

Naturmaterialien sind selten perfekt, sie haben Fehler und Unregelmäßigkeiten. Wenn Sie diese echte Textur aber mögen, setzen Sie sie trotzdem in Ihren Räumen ein. Die Unregelmäßigkeiten tragen zum Charme bei und ergeben einen einzigartigen Look.

1

2

3

4

5

In einer Lounge oder einem Wohnzimmer nehmen Sie Hanf (1) als Grundlage für die Wandfarbe, dazu hängen Sie Vorhänge in echtem Kaliko (2) an schöne Holzstangen in Grau-Grün (5).

Wählen Sie einen hanffarbenen Dielenboden und verwenden Sie naturgefärbte Stoffe in stimmungsvollem Aubergine (4) für Sofas und Stühle.

Um Struktur und etwas Luxus hineinzubringen, fügen Sie Kissen in Seide (3) und grau-grünem Samt hinzu.

Leicht *abgenutzt*

Bei der Planung eines Zimmers wollen Sie vermutlich sauber und ordentlich sein. Bei der Umsetzung streben Sie nach Perfektion. Aber es muss nicht alles perfekt sein. Künstlich gealterte Oberflächen können sehr pfiffig aussehen und im Schlaf- oder Wohnzimmer wundervoll funktionieren.

Legen Sie Perfektion ab – für einen verwohnten Look.

1

2

3

4

5

Hanf (1) als Wandfarbe gibt eine neutrale Grundlage. Streichen Sie die Möbel in warmem Steinbraun (2) und lassen Sie die Oberfläche gealtert aussehen. Dunkles Steinbraun (3) verwenden Sie für den Boden, ob als Teppich oder als Dielen.

Beziehen Sie einen alten Stuhl in künstlich gealtertem Altrosa (4), hängen Sie braun-rosa (5) Vorhänge an künstlich gealterte Stangen in warmem Steinbraun.

Halten Sie das Licht gering und diffus durch Steh- und Tischlampen, verzichten Sie auf ein zentrales Hauptlicht.

Stern*ennacht*

Holen Sie den Nachthimmel in Ihre Küche.

Ist der mitternachtsblaue Himmel wolkenlos, gehört er mit seinen metallisch funkelnden Sternen zu den Wundern der Natur. Vielleicht ist es das Unerforschte, was ihn so magisch macht. Lassen Sie sich vom Nachthimmel für diese durch und durch moderne Küche inspirieren.

1

2

3

4

5

Nehmen Sie Ecru (1) als Grundfarbe für die Küchenelemente und Nachthimmelblau (4) als Kontrastfarbe für die Arbeitsplatten. Streichen Sie die Wände in einer Mischung aus weichem Rindenbraun (2) und Weiß (3). Rindenbraun führt das Auge, wohin Sie wollen.

Halten Sie den Boden natürlich, in helleren Tönen entweder von Ecru oder von weichem Rindenbraun.

Um das Konzept abzuschließen, nehmen Sie Griffe und andere Schmuckelemente in poliertem Nickel (5) – das gibt dem Ganzen einen modernen Look.

Beginnendes *Tageslicht*

Ein frischer, sonniger Look für eine moderne Lounge.

Dunsttöne machen Neutralfarben so effektiv, da sie die Grenze zwischen echter Farbe und vagem Ton überschreiten. Ist es grau, grün oder beige? Ecru ist zart, weich und neutral mit einer Tendenz zum Braun, dazu einer Spur Rosa – also eine vielseitige Farbe. Mit hellen Akzenten erzeugt es die Atmosphäre von Morgendunst.

1

2

3

In einer Lounge legen Sie einen Teppich in Ecru (1) mit Flecken in Oliv (4). Streichen oder tapezieren Sie die Wände ebenfalls in Ecru.

Nehmen Sie Oliv für alle gepolsterten Hauptmöbelstücke, betonen Sie diese mit Highlights in gelbem Sand (5) und Dunstgrün (3).

4

Hängen Sie eine große Lampe mit einem oliven Schirm zentral auf, dazu mischen Sie lackierte Möbel in Beige (2) und Holzmöbel in Eiche.

5

Jede dieser Akzentfarben eignet sich ideal für Möbelstoffe und Accessoires. Experimentieren Sie also ruhig!

Eiscreme

Der schönste aller Farbtöne, Rosa, wird gewöhnlich in Räumen für Frauen eingesetzt. Damit sie nicht zu süß werden, sollten Sie diese Farbtöne mit Grautönen und steinfarbenen Neutralfarben mischen. Weich, warm und beruhigend, passen die sanften und entspannenden Töne dieser milchigen Eiscremefarben perfekt zu Räumen, in denen man leben und träumen möchte.

Schwarz*kirsche*

Dunkle Kirsche mit kühlen Akzenten fürs Schlafzimmer.

Von der dunklen Farbe an Zweigen hängender Schwarzkirschen inspiriert, kombiniert dieses Konzept eine echte Farbtonmischung. Die kühlen Rosa-Grau-Töne ergänzen die schwelgerische, intensive Schwarzkirsche perfekt. Zusammen ergibt das ein makelloses Konzept.

Ein ausdrucksstarkes Schlafzimmer in Schwarzkirsche (1) entsteht, wenn Seide und Samt zusammentreffen. Halten Sie gleichzeitig Wände und Boden neutral in Steinweiß (4).

Verkleiden Sie ein übergroßes Bettkopfteil mit Samt in Schwarzkirsche und legen Sie prachtvolle Seide und Satinstoffe in verschiedenen Rosa-Grau-Tönen (2, 3) aufs Bett.

Hängen Sie lange Seidenstoffe in Schwarzkirsche ans Fenster und stellen Sie möglichst wenig Möbel auf, dann allerdings in hochwertig anmutendem dunklem Eiche (5).

Schwarze-Johannisbeer-*Sorbet*

Starke Farben in einer großen Küche.

Wenn Sie in Ihrer Küche bei den Farben experimentierfreudig sind, kann sich das bezahlt machen. Die Küche ist das Zimmer, in dem die Familie wohl die meiste Zeit verbringt. Wenn Sie diese Farben in einem genau überlegten Konzept einsetzen, werden Sie stolz auf Ihre Küche sein.

1

2

3

Probieren Sie es einmal mit Schwarzkirsche (1) bei den Küchenelementen und einer kontrastierenden Arbeitsplatte aus gehärtetem Glas mit einem Fliesenspiegel in Orchidee (2).

Halten Sie die Wände mit einer warmen Nuance von hellem Stein (3) neutral.

4

5

Ein Bodenbelag im gleichen Ton verhindert, dass der Raum zu dunkel oder verschlossen wirkt.

Setzen Sie Akzente in dunklem Schwarze Johannisbeere (4) und Steingrün (5) bei allen Möbelstoffen und Accessoires.

Sommer*beeren*

Bringen Sie mit Beerenfarben Wärme in ein Zimmer.

Die Komponenten dieser Palette sind kräftig, hell und mutig. Zweifellos machen sie einen großen oder kalten Raum wärmer. Spielen Sie mit der Balance, wenn Sie hauptsächlich kräftige Farbtöne verwenden. Benutzen Sie die Töne nicht im gleichen Maß, sonst wirkt alles überladen und erdrückend.

In einem kühlen Wohn- oder einem Empfangszimmer streichen oder tapezieren Sie die Wände in Maulbeere (1) und das Holz in beruhigendem Vanillecreme (2).

Verwenden Sie Vanille (3) für den Bodenbelag, in einem kühlen Raum wirkt ein weicher Teppich am besten.

Das Hauptsofa oder die Sitzgruppe in Kakigrün (4) wählen, dazu einen passenden Stuhl mit einem anderen Stoff in Brombeere (5) stellen. Accessoires in jeder der Akzentfarben hinzufügen. Setzen Sie jede Menge Spiegel ein, um das Licht zu intensivieren.

Türkische *Köstlichkeit*

Stellen Sie sich die pulvrige rosa Glasur und das duftende, transparente Rosa einer türkischen Köstlichkeit vor. Um diese Geschmacksrichtungen in Ihr Heim zu holen, umgeben Sie Maulbeere mit zarten Rosatönen im Flur und kreieren Sie so eine einladende Eingangszone.

Tauchen Sie ein in köstliche Rosendüfte und die Geheimnisse der Türkei.

1

2

3

4

5

Wandpaneele in Milchkaffee (4) streichen, die Wände darüber in dunklem Maulbeere (1).

Der Teppich in luxuriösem, kräftigem Kakaobraun (5) mit einem Hauch von Maulbeere darin. Schokolade passt sehr gut zu Rosa.

Fügen Sie eisgrau (3) gestrichene Möbel dazu und große hängende Lampenschirme in kräftigem Kakaobraun (5).

Um das Konzept zu vervollständigen, hängen Sie Kunstdrucke mit Blumen in eisgrauen oder milchkaffeefarbenen Rahmen auf und stellen Sie frische Blumen in roséfarbene (2) Vasen.

Waldbeeren

Dies Konzept eint einen Wintergarten mit dem Haus.

Wintergärten werden gern übersehen, weil sie meistens nur bei Sonnenschein benutzt werden und im Winter verschlossen bleiben. Mit etwas Liebe und etwas Dekoration kann ein Wintergarten so schön werden, dass Sie ihn das ganze Jahr über aufsuchen möchten.

1

2

3

4

5

Einfache Tricks, Wintergärten zu einem Teil des Hauses zu machen, sind z.B. den Bodenbelag in den angrenzenden Raum oder Flur hineinzulegen, so dass sie wie eine Erweiterung und nicht wie ein separater Raum wirken, oder den Innenraum zu verputzen, statt ihn als Mauerwerk zu belassen.

Streichen Sie die verputzten Wände in warmem Steinbraun (3) und legen Sie einen Teppich in sattem Braun (4). Nehmen Sie Litschi (1) als Hauptfarbe für die Raumpolster, akzentuieren Sie mit Chiffonweiß (2) und Kirsche (5).

Exotische *Aromen*

Diese Bandbreite an vollen Tönen wird ergänzt durch die zarten Akzente des Konzepts. Um das Schlafzimmer mit exotischen Elementen anzureichern, streichen oder tapezieren Sie die Wände in Litschi und hängen orientalische Drucke und Stoffe in modernen Rahmen auf, die in Pistazie gestrichen sind.

Blumenmuster und dunkle Lackmöbel wirken verschwenderisch.

1

2

3

Bei Möbeln nehmen Sie dunkles Schokobraun (3) mit lackierter Oberfläche mit natur- oder pistazienfarbenen (5) Griffen.

Wählen Sie Bettwäsche in sattem Vanille (2) und finden Sie einen Jadeton (4), den Sie beim Überwurf und den Seidenkissen mit Litschi (1) mischen. Schichten aus Texturen und Farben tragen weiter zur plüschigen Atmosphäre bei.

4

5

Schließen Sie mit einer Bodenvase in dunklem Schokobraun ab, in die Sie Weidenkätzchen stellen.

Köstliche *Ausgewogenheit*

Ein Mix aus Rosatönen für eine geschmackvolle Küche.

Rosatöne sind in einer Umgebung wie der Küche oder dem Esszimmer ungewöhnlich, viele Leute befürchten, das wirke eventuell mädchenhaft oder kindisch. Dennoch: Zurückhaltend eingesetzt, können Rosatöne sehr elegant sein und einen Raum verschönern.

1

2

3

4

5

In einer Essküche vereinen Sie beide Bereiche mit einem Thema: Wählen Sie Beige (3) für eine hölzerne Arbeitsplatte und für den Holzesstisch. Streichen Sie im Kochbereich eine Wand grau-rosa (1), spiegeln Sie dies im Essbereich am Fenster mit Jalousien oder Vorhängen in Grau-Rosa. Streichen Sie die übrigen Wände in Aschgrau (5), um sie hell und frisch zu halten.

Fügen Sie in der Küche Regale in Kaffeesahne hinzu, darauf stehen wie in einem Display Keramiken in hübschem Lila-Weiß (4) und Pflasterrosa (2).

Holunder *und Rose*

In der Volksmedizin hilft Holunder gegen den bösen Blick. Heute wird er hauptsächlich in Kräutergetränken oder Softdrinks verwendet. Dieses Konzept bezieht sich auf seinen feinen Geschmack und kombiniert ihn mit Rose, die ein erfrischendes Aroma und einen Schuss Farbe bringt.

Für eine frische Lounge Rosatöne und Zitrus.

1

2

3

4

5

Streichen Sie die Wände grau-rosa (1) und – damit es modern wirkt – stellen Sie ein Sofa in Grau-Rosa mit Streifen in leuchtendem Gelbgrün (5) dazu. Der Bodenbelag kommt in dunklem Stein (2) mit einem Tufting-Teppich in Holunder (3) vor der Sitzgruppe.

Beziehen Sie einen großen Hocker in Zitronencreme (4) und benutzen Sie ihn statt eines Beistelltischs. Stellen sie Beistelltische aus Glas an beide Enden des Sofas und hängen Sie ein großes, abstraktes Bild an die Wand, das all diese Farben aufgreift.

Noisette *Twist*

Neutrale Pfirsichfarbe sieht mit Brauntönen großartig aus.

Diese warmen Brauntöne sehen mit Orange und Rosa fantastisch aus. Kürbisrosa ist eine herrliche Kombination aus beiden Farben und passt wunderbar, wenn es mit einer Auswahl von Brauntönen gemischt wird.

1

2

3

Um ein traditionelles Bad modern erscheinen zu lassen, streichen Sie eine frei stehenden Badewanne außen in Kürbisrosa (1), die Füße in grauem Elfenbein (2).

4

5

Stellen Sie die Wanne auf einen künstlich gealterten Dielenboden in Braunoliv (5) und streichen Sie die Wände in grauem Elfenbein. Verlegen Sie in der Dusche glasierte Kacheln in hellem Walnussbraun (4).

Dazu Accessoires und Handtücher in Kürbisrosa, Kastanie (3) und hellem Walnussbraun und einen traditionell gerahmten, vergoldeten Spiegel.

Alte *Molkerei*

Kürbisrosa ist eine einladende und interessante Farbwahl für ein Esszimmer. Mit Neutralfarben wie grauem Elfenbein oder hellem Steingrau gemischt, kann es einen eleganten und entspannten Raum erschaffen. Die Dekoration sollte einfach gehalten werden, der Schwerpunkt liegt auf dem Esstisch.

In einem klassischen Esszimmer sollte alles schlicht sein.

1

2

3

4

5

Streichen Sie die Wände in Kürbisrosa (1). Wählen Sie die Lampen so, dass sie die Wärme von dieser Farbe unterstreichen: Wandlampen in Cremegelb (4) mit Seidenschirmen in dunklem Sauerkirschrot (5) tun das. Dazu der passende Stehlampenschirm in Sauerkirsche über einem Holztisch in derselben Farbe.

Betonen Sie die Wandfarbe weiter durch einen offenen Kamin in hellem Steingrau (3) mit Kandelabern in grauem Elfenbein (2) auf jeder Ecke. Halten Sie den Bodenbelag hell, in grauem Elfenbein oder hellem Steingrau.

Englisches *Toffee*

Diese Farben machen ein offenes Apparte-ment gemütlich.

In der heutigen, modernen Welt dreht sich bei der Inneneinrichtung alles um einen aktuellen Stil: gepflegtes Dekor und offene Räume. Selbst wenn es modern und stylisch ist, fühlt sich ein offenes Appartement nicht unbedingt gemütlich an. Dieses Konzept zeigt, wie es trotzdem geht.

1

2

3

Kandisrosa (1) reflektiert das Licht und verleiht jedem Raum Wärme. Mischen Sie Kandis an der Wand mit Möbeln und Stühlen in mattem Grau (3) und Kieselcreme (4).

4

5

Teppich oder Fußbodenbelag in einer praktischen Farbe und ebensolchem Material, etwa Kakao (5), denn in offenen Räumen nutzt sich der Boden schnell ab.

Schließlich fügen Sie einen Schuss Farbe mit kleinen Akzenten in Dunkelrosa (2) hinzu, beispielsweise mit einer Lampe in einer Zimmerecke.

Crème *Caramel*

Manchmal werden Räume ganz unterschiedlich genutzt. Beispielsweise muss ein Arbeitszimmer, das noch als Gästezimmer dient, zwar effizient und praktisch sein, aber auch attraktiv und einladend. Durch warme Neutralfarben und zarte Rosatöne wird der Schwerpunkt von der Arbeit abgelenkt.

Dieses raffinierte Konzept verbindet Arbeit und Ruhe.

1

2

3

Den Teppich im Zimmer in Kandisrosa (1) verlegen, die Wände in Rahmgelb (5) streichen. Nehmen Sie ein Klappsofa in neutralem Karamell (4) und legen Sie Kissen in Mauve-Grau (2) und schönem Kürbisrosa (3) darauf.

4

Bei den Möbeln wählen Sie besser einen schönen Tisch als einen Schreibtisch und einen Schrank, der auch als Garderobe taugt.

5

Die Regale streichen Sie in Kandisrosa. Bewahren Sie die Büromaterialien in Rattankisten auf.

Erdbeer*mousse*

Erdbeercreme passt zu fast allen Konzepten und wirkt nie veraltet.

Man dekoriert gern um, damit ein Raum zeitgemäß bleibt. Ein Konzept, das auf der Höhe der Zeit ist, kann schnell veraltert wirken. Ein Konzept zu finden, das nicht altert, ist eine Herausforderung – eine neutrale Basis ist da eine gute Voraussetzung.

1

2

3

4

5

Erdbeercreme (1) ist eine großartige neutrale Grundlage für fast jeden Innenraum.

Streichen Sie die Wände in einem Wohnzimmer in Erdbeercreme, halten Sie sie frisch mit Böden in natürlichem Grau (2) sowie Vorhängen in Leinen (3).

Einen erdbeercremefarbenen Leinenstuhl säumen Sie mit Haselnuss (4); das macht das Polster modern und frisch. Wählen Sie ein niedriges, modernes Sofa in hellem Blau-Grün (5) und legen Sie darauf große erdbeercremefarbene Leinenkissen und kleine Samtkissen in Haselnuss.

Kaffee*bohne*

Stellen Sie sich das verlockende Aroma gerösteter Kaffeebohnen vor. Dieses Konzept zieht seine Inspiration aus dem tiefen, satten Braun der Bohnen selbst und den harmonischen Farben der roten Kaffeekirschen, aus denen sie gewonnen werden. Setzen Sie diese Farben im Wohnzimmer ein.

Dunkle Akzente für die Familienlounge oder das Kinderzimmer.

Streichen Sie die Wände in Erdbeercreme (1).

Als Möbel wählen Sie große Ledersofas in Kaffeebraun (3), die auf einem flippigen Teppich in Blutorange (5) stehen.

Dekorieren Sie mit Kissen in Cappuccino (2) und Rosa (4).

Greifen Sie diese Akzentfarben in geometrisch gemusterten Vorhängen auf.

Fügen Sie lustige Sitzkissen in Cappuccino hinzu, auf denen die Kinder sitzen können, oder als praktische Lösung für unerwarteten Besuch.

Die Magie *Siams*

Zartes Rosa mit exotischen, lebendigen Akzenten.

Ein zwar erwachsenes, dennoch dekadentes Girly-Zimmer für einen Teenager schaffen Sie mit diesen dezenten Rosatönen und dunklem Holzmobiliar. Das sinnliche Rosa passt perfekt zur Fülle der Brauntöne, zusammen ergeben Sie ein unglaublich warmes und einladendes Zimmer.

1

2

3

4

5

Streichen Sie die Wände in zartem Orchidee (1), eine Hauptwand tapezieren Sie in einer schönen Opalnuance (2) und kräftigem Rosa (5).

Nehmen Sie ein Bett für Erwachsene in warmem Braun (3) und einfache Holzmöbel mit identischen Oberflächen. Die Bettwäsche kommt in Opal, die Akzentfarben sind für die Kissen.

Durchbrechen Sie das Rosa, indem Sie eine lange, siamgrüne (4) Stoffbahn in der Raummitte aufhängen. Als Accessoires dienen Lichterketten, Buddha-Statuen und Orchideen.

Rose *des Ostens*

In dieser ungewöhnlichen Farbgruppe wird der sanfte Rosaton der zarten Orchidee durch den Gebrauch brauner Neutralfarben und blauer Kieseltöne in einem modernen Konzept abgemildert. Es passt sehr gut zu einer offenen Küche.

Modernes Konzept, das man eigentlich so nicht zusammenstellen würde.

1

2

3

Streichen Sie die Wände in zartem Orchidee (1) und die Küchenschränke in Vanille (4) und einem warmen Sahnegelb (3).

Bodenfliesen oder Dielen in dunklem Steingrau (5) bilden einen hübschen Kontrast zu den hellen Küchenelementen. Dunkles Steingrau ist auch die ideale Farbe für die Arbeitsplatten.

4

5

Wählen Sie warmes Sahnegelb für einfache Stores an Holzstangen in dunklem Steingrau, dazu kommen Accessoires in Kieselblaugrau (2) und ebensolches Geschirr mit einer feinen Spur Grau-Blau.

Rosa *Pistazien*

Weiche, cremige Töne entspannen Sie.

Imitieren Sie die glatte, samtene Haptik eines Blütenblatts mit hübschen Rosa- und cremefarbenen Pistazientönen. Diese sanfte Kombination passt gut zu einem entspannenden Wohnzimmer, aber auch hervorragend zum Schlafzimmer.

1

2

3

4

5

Versuchen Sie es einmal mit Pfirsich (1) an den Wänden und blassem Pistazie (2) unter den Füßen; beide Farben gleichen sich in ihren Farbwerten, sie gehen also besonders nahtlos ineinander über.

Hängen Sie an die Fenster Vorhänge in sattem Spargelgrün (3) und Pflasterrosa (4) oder nehmen Sie Stoffe mit einem zarten Blumen- oder Streifenmuster.

Spiegeln Sie das blasse Pistazie in gestrichenen Möbeln, fügen Sie einen Hauch Pastellorange (5) und Pflasterrosa mit Keramikvasen und Accessoires hinzu.

Blumen*wasser*

Neutraltöne und Rosa fürs Arbeitszimmer oder die Lounge.

Rosa ist eine Kombination aus Rot und Weiß mit zahllosen Varianten. Rosatöne können mit Braun, Orange, Gelb und Grau getönt werden. Pfirsichtöne haben eine graue Tönung, dadurch werden Sie zu einem raffinierten und kultivierten Rosaton.

1

2

3

Gehen Sie auf Nummer sicher und nehmen Sie Naturstein (2) für den Boden und streichen Sie die Wände in Pfirsich (1). Das macht den Raum, hell und luftig.

Da der Boden und die Wände in diesen Cremefarben gehalten sind, wählen Sie das kräftige und doch elegante Maulbeere (4) für die Polster, dazu Kissen mit Tupfen in warmem Sahnegelb (3) und Rosa (5).

4

5

Nehmen Sie Naturstein als Untergrundfarbe für die Vorhänge mit einem lustigen und schönen Muster in Rosa.

Ein Hauch *von Vanille*

Helles Konzept, das viel Liebe braucht, damit es rein bleibt.

Vanille ist glatt, aromatisch und voll. Sie stammt von einer Orchidee und hat daher einen anregenden Duft, der seit Jahrhunderten als Parfüm genutzt wird. Sie passt sehr gut zu den meisten Farben und eignet sich ideal für Dekor.

1

2

3

4

5

Akzentuieren Sie die orangefarbenen Töne von weißem Pfirsich (1) mit einem gestreiften Sofa in Vanille (4) und weißer Limone (2).

Hängen Sie ans Fenster lange Seidenstores in Vanille, die auf den Boden fließen.

Legen Sie in die Raummitte einen Zottelteppich in schwelgerischem, braunem Samt (5). Er fühlt sich fabelhaft unter nackten Füßen an. Legen Sie auf das Sofa Kissen in Mauve (3) und weißem Pfirsich als kleine Verneigung vor der Farbe.

Pfirsich *Melba*

Stellen Sie sich eine saftige Pfirsichhälfte in einem Bett aus Vanilleeis vor, über das Haselnussflocken gestreut sind. Diese Palette ist ebenso sanft wie die vorhergehende, und Sie können sie fast schmecken. Nehmen Sie dieses prachtvolle Konzept in Pfirsich und Rosa als Inspiration für ein Mädchenzimmer.

Dieses Farbkonzept ist von dem beliebten Dessert inspiriert.

1

2

3

Beginnen Sie mit einer hübschen Tapete in weißem Pfirsich (1) und milchigem Erdbeerrosa (5). Hängen Sie über ein in Orchidee (3) gestrichenes Bett einen Voile-Baldachin in Pfirsichcreme (2), dessen Kanten mit rosa Perlen, Steinen und Kristallen verziert sind.

4

5

Fügen Sie getupfte, gestreifte oder geblümte Kissen in zartem Mauve (4), milchigem Erdbeerrosa, Pfirsichcreme und Orchidee hinzu.

Zum Schluss schmücken Sie die Wände mit gemalten Herzen, Perlvorhängen und Lichterketten.

Nordlicht

Creme ist die Mutter aller Neutralfarben und funktioniert auf vielen verschiedenen Ebenen. Es ist hell und rein, bleibt aber warm und gemütlich. Die meisten skandinavischen Interieurs sind schlicht und farblich ausgewogen, bleiben aber stets einladend. Lassen Sie sich in diesem Kapitel von skandinavischem Design und der Landschaft des Nordens inspirieren.

Schwedisch *modern*

Dieser Look passt besonders gut zu offenen Räumen.

Schwedisches Design ist bekannt für seine modernistischen Möbel aus Naturmaterialien, vor allem Holz. Es ist schön, organisch und sehr funktional. Lassen Sie sich von diesem Stil inspirieren und kombinieren Sie ihn mit einer einfachen Farbpalette – das erzielt eine gewaltige Wirkung.

1

2

3

4

5

Streichen Sie die Wände in einem hellen Holzton (1) und fertigen Sie einfache Stores aus gestreifter Baumwolle in Weiß (2) und gedecktem Weiß (3). Das Sofa sollte schlicht und modern sein, in schwarzem Leder (5).

Brechen Sie diese Grundfarbpalette mit schönen schwedischen und modernistischen Antiquitäten in Teak (4) auf.

Stellen Sie nicht zu viele Accessoires. Nehmen Sie nur ein Set Lampen und ein schönes Glas- oder Keramikobjekt.

Atmosphärisch *hell*

Rustikale Elemente skandinavischen Designs für Ihr Heim.

Der skandinavische Stil arbeitet mit gebleichtem Holz, weiß lasierten Möbeln, Gingan- und Blumentextilen, die handgemacht wirken. Zu viel davon kann kitschig wirken, aber sorgfältig mit den hier ausgewählten Farben eingesetzt, passt alles hervorragend zu einem Esszimmer.

1

2

3

Streichen Sie die Wände in einem hellen Holzton (1) und suchen Sie einen zarten Stoff für die Fenstervorhänge in prächtigem Creme (4).

Lasieren Sie Holzstühle und den Tisch in Magnolie (5) und legen Sie Sitzkissen mit Bändern in Weiß-Grau (2) darauf.

4

Wenn Sie einen offenen Kamin haben, halten Sie den Kaminsims schlicht in Magnolie und legen Sie einen Stapel Brennholz daneben.

5

Dekorieren Sie den Raum mit Keramik in dunklem Himmelblau (3) und Weiß-Grau. Stellen Sie unzählige große Kerzen auf.

Land*zunge*

Die skandinavischen Farben eignen sich super für ein Strandhaus.

Die skandinavische Liebe zu gebleichtem Holz und Naturstoffen passt wundervoll zu einem Strandhaus. Da die meisten Strandhäuser einen offenen Raum haben, streichen Sie dessen Wände in Sand (1) und die übrigen Räume in Leinenweiß (2). Das macht den Hauptraum gemütlich.

1

2

3

Nehmen Sie schwedische oder Shaker-Möbel, in Holz (4) oder in Tonweiß (5) gestrichen.

Um den Dielenboden weicher zu machen, legen Sie viele kleine Teppiche in unterschiedlichen Texturen und Neutraltönen mit einem kleinen Hauch von Farbe wie etwa Lila-Weiß (3). Sie sehen unter Ihren nackten Füßen großartig aus.

4

5

Stellen Sie noch Kerzen in Windlichtern auf und halten Sie für Gäste ausreichend Kaschmir-Decken bereit, damit sie sich wärmen können, wenn die Sonne untergeht.

À la *Gustav*

Einfache Farben und Designs fürs Schlafzimmer.

Schwedische Möbel im Gustav-Stil sind schlicht und dennoch elegant. Ihr Look ist klassisch und überwindet traditionelle wie moderne Interieurs. Diese Farbgruppe versucht das Gleiche. Schaffen Sie ein träumerisches Schlafzimmer mit einer eleganten, Gustavianischen Chaiselongue in Leinenweiß.

1

2

3

Nehmen Sie Sand (1) als Naturfarbe für einen hübsch polierten Dielen- oder Parkettboden, der neben diesen gedeckten Farben der wirkliche Star ist.

Fügen Sie einen Hauch von Glamour mit einem antik aussehenden, kristallgrünen (5) Leuchter hinzu, der in der Raummitte hängt.

4

5

Bei den Textilien mischen Sie Karos, Streifen sowie unifarbenes Naturleinen und Baumwolle in Beige (3), Gingan-Grün (4) und Leinenweiß (2). Stapel von Stoffen und Texturen geben dem Raum eine gemütliche und heimelige Atmosphäre.

Text*strukturen*

Dieses Konzept nutzt Textur optimal.

Wenn man mit einer Palette aus Grund- oder Neutralfarben arbeitet, sorgt der Einsatz von Textur dafür, dass es nicht einfallslos oder langweilig aussieht. Setzen Sie ein Spektrum von Oberflächen und Materialien ein, beispielsweise Metall, Holz, Baumwolle, Leinen und Naturstein, und experimentieren Sie.

1

2

3

4

5

Streichen Sie die Wände in einem Wohnzimmer in einem natürlichen Wildlederton (1) und die Möbel in Weiß (3) mit Griffen in dumpfen Stahl (4).

Für die Sofas wählen Sie strukturierte Webstoffe in Creme (2), und legen Sie einen großen, blauen (5) Teppich in die Raummitte.

Hauptelelemente wie eine Vase oder ein Lampenschirm sind ebenfalls in Blau. Dazu unterschiedlich gefärbte Rahmen, einen gepolsterten Schemel, alle in stahlgrauem Wildleder, und einige Glaskerzenständer.

Der Charme *des Nordens*

Auch wenn skandinavische Interieurs gewöhnlich hell sind und um weiße oder Neutralfarben herum gestaltet werden, sehen Sie immer warm und einladend aus. Stellen Sie sich einen großen, offenen Kamin vor, die knisternden Flammen, seine Wärme und wie gemütlich es dort ist.

Die Stimmung eines offenen Kamins – und sein weiches Licht.

1

2

3

Um dieses Gefühl zu erzeugen, verwenden Sie warme gelbliche Neutralfarben im Wohnzimmer mit Wänden in einem natürlichen Wildlederton (1).

Warmes Beige (2) ist die praktische Grundfarbe für die Polster. Darauf setzen Sie Kissen in fröhlichem Lichtgelb (3) und gedeckter Limone (4).

4

5

Damit es bewohnt aussieht, nehmen Sie Vorratsschränke und Beistelltische in Eiche antik (5), dazu als Accessoires interessante und bildende Objekte, zum Beispiel alte Landkarten oder einen Globus.

Kristallines *Licht*

Eine kühle Farbwahl, um Licht zu intensivieren.

Wenn Licht auf Kristalle trifft, entsteht ein Regenbogen in wundervollen Farben. Lassen Sie sich davon inspirieren und hellen Sie ein Bad mit diesen lichtspiegelnden Farben und dem ausuferndem Einsatz von Spiegeln auf.

1

2

3

4

5

Nehmen Sie einen schönen Naturstein in rosa Sand (1) für die Wand- und Bodenfliesen. Streichen Sie die übrigen Wandflächen in neutralem Grau-Weiß (3). Das macht den Raum hell, frisch und luftig.

Wählen Sie reines Weiß (2) für die Möbel.

Um das Raumlicht zu verbessern, hängen Sie viele Spiegel – alt wie neu – in unterschiedlichen, silbergrau (4) gestrichenen Rahmen auf.

Verwenden Sie Eisblau (5) und Silbergrau für Accessoires und Handtücher.

Warmes *Glühen*

Dieses traditionelle Konzept aus Skandinavien macht jedes Mädchenzimmer warm, behaglich und gemütlich. Gehen Sie mit Fleecedecken, Holztieren, gehäkelten Teddybären und altmodischen Pinwänden in der Zeit zurück.

Lustiges, volkstümliches Konzept, das jedes Kind freut.

Streichen Sie zuerst die Raumwände in rosa Sand (1) und die Möbel in weißer (4) Lasur.

Nehmen Sie ein schmiedeeisenschwarzes (5) Bett und stapeln Sie darauf Kissen in rosa Sand, rotem (2) Gingan sowie mit hellblauen (3) und weißen Streifen. Da die Kissen auffallen, sollte die Bettwäsche einfach gehalten sein, etwa in Hellblau.

Als Sitzkissen für einen Stuhl in einer Ecke suchen Sie ein einfaches Blumenmuster in gedeckten Pastelltönen. Die Vorhänge sind aus demselben Stoff.

Milch *und Honig*

Versuchen Sie es einmal mit einem hellen Esszimmer.

Honig ist eine sagenhaft warme Neutralfarbe; sein gelber Unterton macht es sehr anpassungsfähig, es sieht auch nicht kalt aus. Gewöhnlich wird es für die Küche bevorzugt und selten im Esszimmer eingesetzt, zusammen mit weiß lasierten Möbeln sieht es aber auch dort großartig aus.

1

2

3

Stellen Sie einen weiß lasierten (2) und künstlich gealterten Esstisch auf gebleichte Dielen (3). Das sieht vor honigfarbenen (1) Wänden großartig aus.

4

Streichen Sie Holzstühle in verschiedenen Größen und Stilen in blassem Irisweiß (4) und stellen Sie noch zwei Glasleuchter auf den Tisch.

5

Für die Vorhänge wählen Sie einen leichten Baumwollvoile in Irisweiß und einfache Eisenstangen. Einen Farbtupfer setzen Sitzkissen in roter (5) Baumwolle.

Süße *Überraschung*

Stellen Sie sich einen Krug mit Süßigkeiten und goldenem Honig vor und Sie verstehen, was dieses Konzept inspiriert hat. Das warme, goldene Gelb beruhigt, ist friedvoll und funktioniert überall, aber es passt perfekt für ein Babyzimmer. Denn die Farbe kann angepasst werden, wenn das Kind heranwächst.

Wählen Sie Honig als satte, warme Grundfarbe.

1

2

3

4

5

Streichen Sie die Wände in Honig (1) und die Möbel nach skandinavischem Stil in reinem Weiß (5).

Nehmen Sie blasses Orange (2) für einen Überwurf über einen kleinen, bequemen Sessel in der Zimmerecke und machen Sie ihn mit einem grau-taupen (4) Kissen bequemer.

Hängen Sie über das Hauptlicht einen Stoffschirm in hellem Mauve (3). Das dämpft das Licht zu einem lieblichen, warmen Leuchten. Nehmen Sie einfache Tierdrucke und hängen Sie sie in rein weißen Rahmen an die Wand.

Raue *Kante*

Raue Kanten und Naturfarben für einen ländlichen Look.

Wenn Sie Naturstein in Ihrem Bad oder Flur einsetzen möchten, können Sie aus einer Vielfalt an Oberflächen auswählen. Mögen Sie alles glatt, nehmen Sie Fliesen mit glatten Kanten, lieben Sie es etwas rustikaler, wählen Sie welche mit leicht unregelmäßigen Rändern aus.

1

2

3

4

5

Bei einem großen Flur wählen Sie große Fliesen in traditionellem Creme (1), die Sie im ganzen Flur verlegen.

Die Treppen hoch legen Sie einen Läufer mit Streifen in Pilzbraun (5) und Aschgrau (2). Streichen Sie die Wände in gedecktem Birkengrau (3) und nehmen Sie einfache, sich wölbende, bodenlange Vorhänge in Creme (4).

Im Bad sehen Elemente in Creme wunderbar vor Kacheln oder gestrichenen Wänden in gedecktem Birkengrau und auf einem pilzfarbenen Boden aus.

Abend*wärme*

Wenn Ihnen ein nachlässiger Schick gefällt, kombinieren Sie ein hübsches Blumenmuster in Neutralfarben mit einem alten Ledersessel, flauschigen Teppichen und Häkelkissen. Diese Farben, mit vielen unterschiedlichen Texturen gepaart, passen in ein Zimmer, in dem sich alles um Gemütlichkeit dreht.

Ein Raum sieht besser aus, wenn er bewohnt wird.

1

2

3

Streichen Sie die Wände in traditionellem Creme (1) und polstern Sie ein altes Sofa oder einen Sessel mit Leder in Schokobraun (4).

Verwenden Sie Naturleinen mit Blümchenmuster in aufgehelltem Creme (2) und gebleichtem Sonnengelb (5) als Kissenbezug.

4

5

Streichen Sie Holz und den Sims des offenen Kamins in Leinenbeige (3). Stellen Sie Pflanzen auf und verteilen Sie Bilderrahmen im ganzen Raum. Wählen Sie verschiedene Formen, Größen und Oberflächen für die Accessoires.

Auf der Suche *nach Licht*

Ideen und Farben lassen den Keller geräumiger wirken.

Wenn Sie ein Wohnzimmer oder ein Arbeitszimmer im Keller heller machen wollen, nehmen Sie Spiegel, die das Licht fangen und verteilen. Spiegel verstärken auch das Raumgefühl. Wenn die Decken zu niedrig sind – das kann im Keller vorkommen –, verwenden Sie Wandlampen.

1

2

3

Streichen Sie alle Wände in Elfenbein (1) und sämtliches Holz in Weiß (2). Für die Fenster wählen Sie einheitliche Jalousien in einem natürlichen Musselinton (4).

Bei den wichtigsten Polstern spielen Sie mit Eisblau (3) und Aschgrau (5). Achten Sie darauf, dass das nicht zu mächtig wirkt.

4

5

Hängen Sie schließlich Spiegel auf, die schöne Aussichten reflektieren und das Licht aus den Fenstern streuen. Stellen Sie pflegeleichte Pflanzen auf – das macht den Raum wohnlicher und zugleich organischer.

Friedliche *Morgendämmerung*

Weiche, zarte Töne für einen Ruheraum.

Wenn Sie genießen wollen, wie das letzte Licht des Tages durch das Fenster fällt, schaffen Sie sich einen ruhigen Ort zum Entspannen. Stellen Sie ein schmiedeeisernes (4) Bett voller Kissen in allen Formen und Farben an eine Stelle, von der aus Sie den besten Blick haben.

Um sicherzustellen, dass das Bett im Blickpunkt steht, halten Sie die Wände drumherum neutral in Elfenbein (1) und nehmen Sie dunkles Steinbraun (3) als Farbe für den Bodenbelag.

4

Nähen Sie Kissen aus Webleinen in weichem Rosa (5) mit Perlmuttknöpfen, aus Wildleder in dunklem Steinbraun mit Punkten in Mondlila (2) und aus elfenbeinfarbener Seide mit Kristallknöpfen. Sie geben dem Bett Textur.

5

Stellen Sie ein Bücherregal oder einen Zeitungsständer daneben, so dass es sich anfühlt, als habe der Bereich einen Nutzwert.

Skandinavischer *Stil*

Eine zarte nordische Farbpalette für eine formelle Lounge.

Nordische Farben sind sanft und unaufdringlich, sie bilden den idealen Hintergrund für eine traditionelle Einrichtung mit liebevollen Details, etwa einem offenen Kamin und einem eleganten Sims. Eine gedeckte Palette wie diese ist extrem vielseitig und lässt Sie Ihren eigenen Stil umsetzen.

1

2

3

4

5

Streichen Sie die Wände in warmem, prächtigem Creme (1), dann lasieren Sie den Dielenboden weiß (5).

Statten Sie den Raum mit stonewashfarbenen (2) Polstern und antiken Möbeln in dunklem Eiche (4) aus. Versammeln Sie im Raum Objekte, etwa Vasen, Holzstatuen oder Masken.

Fügen Sie dem Konzept mit Möbelstoffen, wie beispielsweise Baumwolle und Seide in warmem Creme und Limonenweiß (3), Textur und Accessoires hinzu.

Natürliche *Linien*

Dieses einfache und doch seriöse Konzept passt besonders zu modern renovierten, offenen Räumen. Nehmen Sie die Weichheit von warmem Creme und die schwereren Akzente dieser Palette und bringen Sie die Ernsthaftigkeit des modernistischen Stils in eine Küche von heute.

Seriöse, kultivierte Farbwahl für die moderne Küche.

3

Nehmen Sie warmes Creme (1) als Grundfarbe und glänzende Armaturen in Chrom (4).

Wählen Sie Hocker mit Chrom-Beinen oder Stühle mit schwarzen (2) Ledersitzen. Kontrastieren Sie sie mit hellen Küchenelementen in Elfenbein (3) und schwarzem Granit für die Arbeitsplatten.

Ein kleiner Farbspritzer kommt durch Rollläden oder Jalousien in Oliv (5) hinein. So sollte auch die Farbe abstrakter Bilder an den Wänden sein.

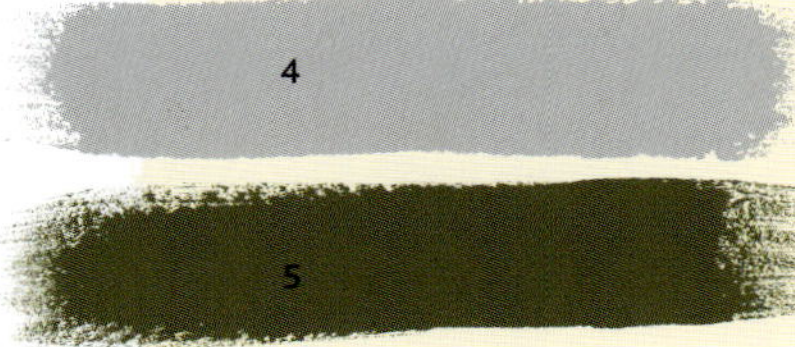

Weiße Hitze

Stellen Sie sich Schneeflocken vor, die im letzten Tageslicht fallen. Die Farben wandeln sich von Hellgelb zu kaum noch wahrnehmbaren Rosatönen und machen die eiskalte Luft wärmer. Weiß ist sexy, aber auch rein und jungfräulich. Blättern Sie alle Farbkapitel noch einmal durch und wählen Sie jeweils die weißeste Farbe jeder Palette, dazu als Kontrast die reinsten Neutralfarben. Es verblüfft immer wieder, wie der kleinste Hauch von Farbe den Eindruck ändern kann, den ein Raum hinterlässt.

Sanftes *Weiß*

Frische Neutralfarben für ein beruhigendes Interieur.

Frische, helle und klare Neutralfarben schaffen ein Konzept, das das ganze Jahr über wirkt. Eisgrau ist ein ganz moderner Farbton und eignet sich als Basis für Zitrustöne von Zitrone und Limone. Diese helle, zeitgemäße Palette erzeugt in jedem Raum eine luftige, geräumige Atmosphäre.

1

2

3

4

5

Setzen Sie das Konzept in einer offenen Essküche um – mit Wänden in Eisgrau (1) und in Limonenweiß (2) gestrichenen Küchenelementen.

Einfache Arbeitsplatten aus Marmor in reinem Grau-Weiß (3) funktionieren in diesem Konzept sehr gut. Sie können den Fokus auf die Sitz- oder Essecke lenken, indem Sie eine Wand in hellem Zitronengelb (4) streichen.

Die nicht gestrichenen Möbel wählen Sie in Eiche natur (5) im einfachen Shaker-Stil, damit das Konzept hell und leuchtend bleibt.

Männliche *Details*

Ein einfarbiger Hintergrund lässt in kleineren Wohnungen den Raum größer wirken. Wenn es auf Platz ankommt, müssen Möbel sorgfältig eingesetzt werden: Seien Sie also praktisch und stellen Sie nicht zu viele oder zu große Möbel.
Das Konzept ist ideal für ein Studio in der Innenstadt; der Einsatz von Marine setzt maskuline Akzente.

Neutralfarben mit dunkleren Akzenten – extrem elegant.

Streichen Sie die Wände in Eisgrau (1) und legen Sie überall Teppichboden in warmem, neutralem Biskuit (3).

Einen Touch Kultiviertheit bringen Sofapolster in Marine (2). Verteilen Sie darauf einige einfache Baumwollkissen in Biskuit und reinem Weiß (4).

Zuletzt noch Schwarz-Weiß-Drucke in großen kohlefarbenen (5) Rahmen hinzufügen.

Tonaler *Wechsel*

Eine perfekte Partnerschaft von Rosa und Grau.

Rosatöne sind warm und einladend, aber in diesen Farbnuancen und zusammen mit Grautönen sehen sie auch modern und schick aus. Um das traditionell rosafarbene Mädchenzimmer zeitgemäß zu gestalten, wählen Sie eine harmonische Kombination von warmem Grau-Weiß und Altrosa.

1

2

3

Streichen Sie die Wand am Kopfende des Bettes in dunklem Plüschrosa (5), die übrigen Wände in Winterweiß (1) und die Bodendielen entweder in Winterweiß oder in hellem Plüschrosa (3).

4

Beziehen Sie das Kopfteil mit Seide in hellem Plüschrosa, aus dem gleichen Stoff nähen Sie Kissenbezüge.

5

Nehmen Sie Baumwollbettwäsche in Orchideenweiß (2) und fügen Sie Textur und einen Hauch Luxus mit einer Satindecke in mittlerem Rouge (4) hinzu. Als Accessoires dienen Parfümflaschen und silberne Kerzenständer.

Naturstein

Das Bad sollte sauber, frisch und hell aussehen. Wenn der Raum nicht schon durch eine Flut natürlichen Sonnenlichts gesegnet ist, müssen Sie aus den Gegebenheiten das Bestmögliche machen. Naturstein und neutrale Weißtöne sind einfach, aber effektiv, um eine helle und luftige Atmosphäre im Bad zu erzeugen.

Einfache Farben und Materialien ergeben ein kultiviertes Bad.

1

2

3

4

5

Verwenden Sie winterweiße (1) Wandkacheln aus Marmor und streichen Sie die übrigen Wände in reinem Weiß (2).

Um Wärme ins Zimmer zu bringen, legen Sie Dielen in Eiche (4) und wählen frei stehende Waschtische, ebenfalls in Eiche.

Holen Sie aus dem hellen, weißen Raum das meiste heraus, indem Sie einen großen Spiegel mit Eichenrahmen an die größte Wand hängen.

Accessoires sind Handtücher in Pfirsich-Elfenbein (3), reinem Weiß und hellem Salbei (5).

Heller *Klecks*

Eine neutrale Küche durch vibrierende Farbakzente aufpeppen.

Ein neutrales Konzept wird lustig und familienfreundlich, wenn Sie helle, kräftige Farbspritzer hineinbringen. Um das Raumgefühl im Laufe der Jahreszeiten zu verändern, ist dieses Konzept ideal. Denn Kissen und Accessoires können entsprechend gemischt und zusammengestellt werden.

1

2

3

Streichen Sie die Wände der Küche oder des Esszimmers in Rouge (1) und nehmen Sie Küchenelemente in reinem Weiß (2). Sie sehen hochglänzend besonders gut aus. Auf den Boden kommt widerstandsfähiges Seegras oder Fliesen in Naturstein (3).

4

5

Dazu für den Spaß Kissen abwechselnd in Fuchsia (4) und Erbsengrün (5) auf die Stühle und Keramikvasen und Geschirr in bunten Farben. Zum Schluss rahmen Sie Ihre Lieblingsfotos von Ihren Kindern und hängen Sie vor die wunderschönen rougefarbenen Wände.

Ruhige *Neutralfarben*

Verwenden Sie Naturmaterialien wie Wolle, Baumwolle, Leinen und Seide für Ihre Möbelstoffe. Machen Sie – falls vorhanden – den offenen Kamin zum Mittelpunkt des Raumes, indem Sie die Sitzgruppe um ihn herumstellen. So wird es einladend und gemütlich.

Edle Texturen machen ein neutrales Wohnzimmer gemütlich.

1

2

3

Gestalten Sie die Oberfläche des offenen Kamins in Butterweiß (2), entweder gestrichen oder in Stein. Streichen oder tapezieren Sie die Wände in Rouge (1).

Den Teppichboden halten Sie in hellem Taupe (3); das sieht toll aus und fühlt sich gut an. Nehmen Sie Maus- (4) und Tongrau (5) als Farben für Sofa und Kissen.

4

5

An die Fenster hängen Sie wallende Vorhänge in Butterweiß oder in Mausgrau, legen Sie schöne Mohair-Decken für frostige Winterabende in Rouge über die Sofalehnen.

Ein Haufen *Rosa*

Dieses Konzept lebt vom Kontrast.

Diese Palette basiert auf der Gegenüberstellung von Hell und Dunkel, sie kombiniert die zarten Akzenttöne mit verblüffendem Dunkel. Extreme Töne in dieser Weise zu mischen kann dramatische Resultate erzielen – das passt perfekt zu einem eindrucksvollen und modernen Wohnzimmer.

1

2

3

4

5

In einem hübschen, von der japanischen Kirschblüte inspirierten Raum sind die beiden Stars zwei Sofas in Buttermilchgelb (3).

Als neutrale Plattform für die cremefarbenen Sofas nehmen Sie einen Teppich in warmem Grau (4) und streichen die Wände in zartem Rosa-Weiß (1).

Runden Sie den Look durch Möbel im orientalischen Stil mit dunkler Holz- oder anthrazitfarbener (5) Lackoberfläche ab. Dazu Accessoires in Weiß (2) und Anthrazit.

Personifizierte *Moderne*

Eine raffinierte Kombination von modern und retro.

Die Renaissance der Tapete hält an, deshalb konzentriert sich dieses Konzept auf sie. Stellen Sie sich eine Tapete als großes Bild vor: Gefällt Ihnen das Muster, werden Sie es nie müde. Wenn Sie über genug Geld oder künstlerisches Talent verfügen, können Sie eine handgemalte Tapete designen und in Auftrag geben.

Finden Sie eine tolle Tapete in Rosa-Weiß (1) und Tongrau (5) für die Hauptwand eines Wohn- oder Esszimmers. Halten Sie die übrigen Wände einfach, etwa in Tonweiß (4) und wählen Sie einen hellen, neutralen Bodenbelag, um das Ganze dezent zu halten.

Einen Hauch Glamour bringen moderne oder Retro-Möbel und eine helle Einrichtung in Anthrazit (2) mit chromfarbenen (3) Details. In der Lounge sieht ein Sofa mit Polsterstoff in Tongrau und Kissen in Rosa-Weiß fabelhaft aus.

Frühlings*weiß*

Wählen Sie Frühlingsfarben für ein einladendes Gästezimmer.

Ruhige Farben ermöglichen eine Klarheit des Geistes und lassen Gäste an einem entspannenden Ort schlafen. Stellen Sie das Gästezimmer nicht zu voll, denken Sie praktisch: Neben einem Bett brauchen Ihre Gäste nur einen Tisch, vielleicht eine Kommode, ein paar Kleiderhaken und einen guten Spiegel.

1

2

3

4

5

Halten Sie den Boden mit Natur (1) hell und spiegeln Sie die Farbe mit den Möbeln. Als dezente Unterscheidung streichen Sie die Wände in Zitronenweiß (2) – dieses helle Weiß macht das Zimmer größer.

Einen Hauch Moderne bringt ein großer Rahmenspiegel in warmem Steingelb (4), der vor den zitronenweißen Wänden toll aussieht.

Fügen Sie ein einfaches Raffrollo mit einem Muster in sandigem Steingrau (3) und -rosa (5) als Farbtupfer hinzu. Zum Schluss stellen Sie eine Vase mit frischen Rosen auf den Tisch.

Schokoladen*trüffel*

Eine Auswahl an Schokoladentönen, ideal für den Flur.

Glatte, samtene Schokoladentöne sind neutral und unaufdringlich, warm und elegant. Hier werden sie als sanfte Töne eingesetzt, zart und zurückgenommen, und dennoch sehr gefällig und einladend. Die Farben funktionieren überall. Weil sie aber so einladend wirken, nehmen wir sie für den Windfang.

Erwägen Sie eine Streifentapete in Natur (1) und milchigem Schokoladenbraun (3) für einen klassischen, eleganten Look Ihres Windfangs oder Flurs.

Verlegen Sie dunkle Fußleisten und streichen Sie das Holz und die Treppen in reinem Weiß (4). Wählen Sie einen Teppich in einer satten, dunklen Tonfarbe (5). Sie verleiht Tiefe und führt das Auge (und Ihre Gäste!) durch den Raum.

Accessoires in Purpurtrüffel (2) und Natur, dazu für etwas Glamour ein Leuchter oder Kerzenhalter.

Moderne *Nostalgie*

Von der Vergangenheit inspiriert alt und neu kombinieren.

Setzen Sie diese sanften Töne für ein kühles, gelassenes und minimalistisches Wohnzimmer ein. Verwenden Sie einmalige Designer-Möbel oder Kultstücke. Verzichten Sie auf Schnickschnack, verbergen Sie Unordnung in stromlinienförmigen, zeitgenössischen Möbeln.

1

2

3

4

5

Nehmen Sie einen neutralen Hintergrund von in Eierschale (1) gestrichenen Wänden und fügen Sie Eleganz durch eine schöne Chaiselounge in Bronze (3) hinzu. Damit alles kultig aussieht, legen Sie Kissen in Zitrusweiß (2) und Eisblau (5) aus Seide und Baumwolle darauf.

Halten Sie den Boden – ob Dielen oder Teppich – hell und neutral, etwa in einer hellen Nuance von Eierschale. Als Stauraum wählen Sie eine hochglänzende Oberfläche in reinem Weiß (4) an Türen und Schränken.

Warmes *Weiß*

Weiß ist nicht nur die populärste Farbe der Welt, sondern auch die komplizierteste. Es gibt hunderte von Varianten. Setzen Sie dieses Konzept der warmen Weißtöne in einem Raum mit Doppelfunktion ein, beispielsweise einem Arbeits- und Esszimmer.

Warme Nuancen von Weiß tun jeder Umgebung gut.

1

2

3

Tapezieren Sie den Essbereich in Eierschale (1) und Steinweiß (2), streichen Sie alles Übrige in Eierschale. Die hellen Farben wirken geräumig, die Tapete definiert einen eigenen Bereich.

4

5

Nehmen Sie für den Boden Sisal in einer dunklen Tonfarbe (4) als weiteren neutralen Farbton. Fertigen Sie bodenlange Stores für den Essbereich und einfache Jalousien für den Arbeitsbereich. Weiches Iris (3) und Weiße Schokolade (5) definieren die jeweiligen Bereiche, verbinden sie aber auch zu einer Einheit.

Ungewöhnliche *Kombinationen*

Diese Akzente verblüffen in einem weißen Interieur.

Für einen neutralen, ruhigen Wohnbereich muss man nicht immer an ausgebleichten Tönen und Weiß kleben. Die besten Designs für Interieurs funktionieren dadurch, dass ungewöhnliche Anwendungen und überraschende Effekte in ein sonst fehlerfreies Konzept gebracht werden.

1

2

3

4

5

Streichen Sie die Wände in zartem Elfenbein (1) und das Holzwerk und die Decke in reinem Weiß (2). An die Fenster hängen Sie dicke, schwere Baumwollstores in Vanilletaupe (3) auf klobige, anthrazitfarbene (5) Vorhangstangen.

Polstern Sie einen ungewöhnlichen Stuhl in Butterblumengelb (4). Zwar würden hier auch knallige Farben passen, doch dieses Konzept ist neutral und hell.

Sämtliche Möbel halten Sie in Anthrazit.

Ins *Blaue*

Blau ist die Farbe von Himmel und Meer – eine natürliche Farbe, die in allen Intensitätsgraden fantastisch wirkt. Seine kühle, beruhigende Wirkung machen es ideal für das Schlafzimmer, auch wenn die helleren und frischeren Töne in jedem anderen Raum ebenso gut funktionieren.

Dieses Konzept zeigt die friedliche, ruhige Seite von Blau.

1

2

3

In einem traditionellen Zimmer, dessen Deckleiste den Raum nicht zweiteilt, streichen Sie die Wände unterhalb der Leiste in einem hellen Ton von zartem Elfenbein (1) und darüber in einem blau-grünen Ton wie Aqua (2).

4

Für den Boden nehmen Sie warmes Grau (5) in der dunkelsten Nuance als Teppich oder Sisalmatte. Möbel und Polster in reinem Weiß (3), das gibt ein klares skandinavisches Gefühl. Accessoires sind Kissen und Teppiche in Aqua und Grau-Blau (4).

5

Elegantes *Weiß*

Welche Farbe ist reiner und feiner als reines Weiß?

Reines Weiß kann in Familienräumen unpraktisch sein, ist aber trotzdem bei Innendesignern beliebt. Meistens wird nur die Decke und das Holz in reinem Weiß gestrichen – warum wollen wir nicht einmal wagemutig sein und alle Wände und alle architektonischen Elemente so streichen?

1

2

3

Streichen Sie sämtliche Wände, Fußleisten etc. in reinem Weiß (1), auch fast alle Möbel werden rein weiß.

Es ist schier unmöglich, einen weißen Teppich zu finden, nehmen Sie stattdessen gebrochenes Weiß (3).

4

5

Weiß ist so unglaublich neutral, dass es zu wirklich jeder Farbe passt. Wählen Sie besondere Objekte für einen Hauch Farbe, etwa einen Eichenstuhl mit einer Sitzfläche in Sand (2), einen Schemel in Braun (5) oder eine Vase in warmem Creme (4). Mischen Sie beide Farben, wie Sie mögen.

Ost trifft *West*

Beim Innendesign von Schlaf- und Wohnzimmern gibt es schon lange orientalische Einflüsse. Verleihen Sie Ihren Räumen einen Hauch von Orient, indem Sie eine rein weiße Basis mit natürlichen Neutraltönen und dunklem Holz kombinieren. Dieser elegante Look funktioniert überall.

Ein einfaches, zeitloses, vom Orient inspiriertes Konzept.

1

2

3

In der Lounge hängen Sie blasskieselgraue (3) Vorhänge auf elegante Stangen in dunklem Walnussbraun (5) vor rein weiß (1) gestrichenen Wänden.

Stellen Sie zwei Sofas in Creme (2) sich gegenüber und legen Sie darauf symmetrisch Kissen in dunklem Taupe (4).

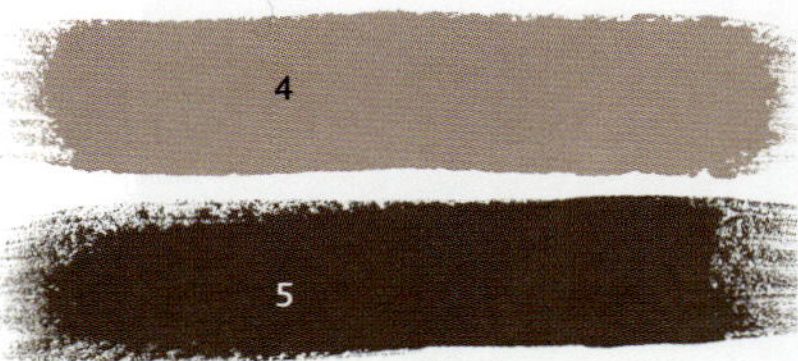

Heben Sie den Essbereich durch einen Teppich in dunklem Taupe hervor, dessen Ränder in Creme gehalten sind. Als Accessoires wählen Sie übergroße Lampen in dunklem Holz mit Schirmen in Creme sowie dunkle Bodenvasen.

Gedeckte *Töne*

Raffinierte Farben für den Eingangsbereich im Flur.

In traditionellen Räumen funktioniert eine Mischung aus gedeckten Tönen bei Stoffen, Tapeten und Polstern extrem gut. Kombinieren Sie Tweet, Leinen, Baumwolle und Mustertapete in diesen zurückgenommenen Tönen, und alles sieht überwältigend aus.

1

2

3

Den Windfang tapezieren Sie mit einer großgemusterten Tapete in Grau-Weiß (1) und Taubengrau (2). Paaren Sie die Tapete mit einem traditionell gewebten Stoff in Wacholder- (4) und Grau-Weiß-Tönen.

4

5

Bringen Sie beispielsweise im Treppenaufgang einfache Paneele an und streichen Sie diese in Creme (3).

Streichen Sie eine alte Truhe in Perlweiß (5) und stellen Sie zwei elegante Lampen mit cremefarbenen Schirmen darauf. Reicht der Platz, bedecken Sie einen alten Sessel mit wacholderfarbenem Stoff.

Eingebauter *Luxus*

Als Herzstück eines Heims gilt oft die Küche. Da wir dort einen Großteil unserer Zeit verbringen, müssen wir hier ein besonders durchdachtes Konzept anwenden. Wenn Ihr Kochbereich offen ist, sollten Sie für die Küche raffinierte Stauräume und attraktive Oberflächen wählen.

Helle und dunkle Töne für eine schicke Küche.

Tünchen Sie die Wände in einfachem Grau-Weiß (1) als perfekte Grundfarbe für diesen Bereich.

Kombinieren Sie Oxid- (2) und Nickelgrün (3) als Oberflächen der Küchenelemente. Betonen Sie Nickel, etwa indem Sie es mit Glas für einen raffinierten Schrank kombinieren. Halten Sie die Arbeitsplatten hell, smart, sauber und praktisch in reinem Weiß (4).

Zum Schluss fügen Sie Accessoires mit einem Hauch von hellem Aquamarin (5) hinzu. Ihre Küche ist nun cool, up-to-date – und vorzeigbar!

Von der Sonne *gerötet*

Fruchtige Rottöne wecken Ihren Appetit.

Wenn Sie das Glück haben, ein offenes Appartement zu bewohnen, unterstreichen Sie fruchtiges Rot, Beerenfarben und wärmende Weißtöne mit antiken Metallen – das wirkt luxuriös. In einer offenen Küche können selbst die Ecken ein schnuckeliger, praktischer Wohnraum werden.

Um aus kleinen oder schlecht geschnittenen Räumen das Beste herauszuholen, lassen Sie sich eine Sitzbank anfertigen mit Schubladen oder Regalen darunter. Tränken Sie die Wände mit heiterem Mandelweiß (1) und polstern Sie die Sitzgruppe in kräftigem Aubergine (5). Streichen Sie die Stauräume in der Wandfarbe, damit sie mit dem Hintergrund verschmelzen. Accessoires sind Kissen, Vasen, Bilder und Rahmen in Antikgold (2) und Zinn (3). Nehmen Sie sattes Walnuss (4) als Ton für Accessoires und weitere Kleinmöbel.

Wie man *dieses Buch* benutzt

Diese Seite können Sie aufklappen –
Sie haben dann stets die Anleitung parat,
wie die Paletten aufgebaut sind.

Register

Danksagungen

Besonderer Dank geht an Heidi Best, die zur Einführung des Buches beigetragen hat.

Quarto dankt folgenden Fotografen und Agenturen für die Überlassung von Fotos für dieses Buch:

S. 3: Lee Garland
www.leegarlandphotography.co.uk
S. 4–5: Lee Garland
www.leegarlandphotography.co.uk
S. 8–9: Lee Garland
www.leegarlandphotography.co.uk
S. 10–11: Corbis
S. 12: David George/redcover.com
S. 13: Lee Garland
www.leegarlandphotography.co.uk
S. 15 o.: Corbis
S. 15 u.: Hiscox Parlade/redcover.com
S. 16: Jean Maurice/redcover
S. 17: Verity Welsted/redcover.com
S. 19 o. l., u. l.: Marlborough Tiles
www.marlboroughtiles.co.uk
S. 19 o. r. & m. r.: Jane Churchill
www.janechurchill.com
S. 19 m. l.: Kobal collection
S. 19 u. l.: Larsen/www.larsenfabrics.com
S. 19 u. r.: Shutterstock
S. 21 o. l.: Corbis
S. 21 o. r.: Jane Churchill/www.janechurchill.com
S. 21 m. l.: Larsen/www.larsenfabrics.com
S. 21 m. r.: Ketchum/www.ketchum.com
0044-(0)20-7611-3500
S. 21 u. r.: Shutterstock
S. 22: Ketchum/www.ketchum.com
0044-(0)20-7611-3500
S. 23 o. r.: Graham Atkins/redcover.com
S. 23 u. l.: Lee Garland
www.leegarlandphotography.co.uk
S. 24: Ashley Morrison/redcover.com
S. 25: Debi Treloar/redcover.com
S. 27: Bieke Claessens/redcover.com
S. 32: Lee Garland
www.leegarlandphotography.co.uk
S. 52: Lee Garland
www.leegarlandphotography.co.uk
S. 76: Lee Garland
www.leegarlandphotography.co.uk
S. 96: Allum Callender/redcover.com
S. 116: Lee Garland
www.leegarlandphotography.co.uk
S. 134: Bieke Claessens/redcover.com
S. 152: Ken Hayden/redcover.com
S. 170: Lee Garland
www.leegarlandphotography.co.uk
S. 192: Winfried Heinze/redcover.com
S. 214: Ketchum/www.ketchum.com
0044-(0)20-7611-3500
S. 232: Ken Hayden/redcover.com

Farbgenauigkeit

Unglücklicherweise ist es aufgrund der Drucktechnik nicht möglich, Farben in einem Buch farbecht zu reproduzieren. Es wurde jedoch alles unternommen, um möglichst genaue Annäherungen zu erzielen, die Sie bei sich zu Hause nachvollziehen können. Das Gute daran: Ihre Räume werden auf jeden Fall noch aufregender aussehen als die Farben in diesem Buch! Denken Sie immer daran, dass sich beim Druck Farbnuancen leicht verändern können und dass auch Farbmischungen bei der Herstellung leicht variieren. Kaufen Sie Ihre Farben daher immer aus der gleichen Charge.